おれは無関心なあなたを傷つけたい

村本大輔

ダイヤモンド社

はじめに

２０１７年、僕はテレビから消えた。あの場所に違和感を抱いたからだ。

あの場所に行くのは、子どもの頃からの夢だった。

でも、捨てることにした。


理由はこうだ。

水槽の中で生まれたメダカは、水槽の中が自分の世界のすべてになる。しかし、もし一度でも川に住んだなら、自分のいる世界がいかにおかしいかわかる。

僕は１ヶ月休みをとってアメリカに行きコメディクラブを回ったことがある。そこではコメディアンたちが、いま社会で起きている理不尽なことをネタにしていた。移民難民問題や人種差別問題、地球温暖化やＬＧＢＴＱの問題。

そのときに僕は比べてしまった。日本には芸人が面白いトークをするお笑い番組がたくさんある。でもそのテーマは「ポンコツの後輩の話」「タクシーの運転手がありえへんという話」「家族の話」「相方がガサツだという話」だ。僕もそういうものだと思って、そんなネタを話していた。

アメリカで一緒にいた日本人の友達が、ロスのタクシー運転手に「アメリカのコメディは人種差別ネタが多いよね」と言った。

すると運転手は「それがあるからだよ」と言った。

「あるからだよ」と聞いたとき、僕は思った。

日本にはないのか？

そのとき僕は、ふと17歳の頃を思い出した。高校を中退して働いていた植木屋で好きな女の子の話をしたら「あの家は朝鮮人やからしゃべるな」と言われたときの違和感を。沖縄の人たちが基地を押しつけられ、工事に反対し、座り込みをしていることも思い浮かんだ。

そのとき僕は、たまたまニュースのコメンテーターをしていたので、いろんな問題にふれる機会があった。だから気づいた。

日本にも「ある」と。

しかし、テレビでは〝あるもの〟が〝ないもの〟にされている。

なぜだろう。

視聴者も、出演している芸人や芸能人も、日本にそれがあることに気づいていないのか？

彼らはこの国に、声なき声があることを知らないのか？

日本ではそれらは静かに起きているのか？

それは静かだから聞こえないのか、それとも聞こえないふりをしているのか。

僕は水槽の外の世界を知ってしまった。テレビの中には持ち出されない言葉がたくさんあることに気づいた。


僕は、年に一度だけテレビで漫才をさせてもらえる。２０１７年に出演したとき、試しにそこでその言葉を出してみた。

すると、テレビの仕事はなくなり、嫌いな芸人ランキングの上位に選ばれ、いままでの若いファンの子はいなくなり、街宣車にまで追いかけられた。水槽の中にザリガニでも入れられたかのように、彼らは不安になり、嫌悪を示した。

それから毎年、僕はその漫才番組の5分を使って、ザリガニを水槽の中に入れ続けている。

ザリガニの正体は〝意見〟だ。意見を恐れる日本人がいる。無関心な人たちに気づかれることを恐れている。「民主主義」なんてかっこいいことを言っているが、「無関心主義」のおかげで成り立っている国だ。

無関心とは、「犠牲」を見ないことだ。誰かを下敷きにして、僕らはその上に座っているという現実に目を向けないから、僕は漫才を使い、そこに目を向けさせる。

この本は、そんな僕が文字を使って描いた〝絵〟だ。

絵は同じものを描いても人によって違うものになる。同じ富士山を描いても、遠くから見たものか、はたまた樹海の中から見たものかで変わる。

僕は福井にいた子どもの頃、目の前の海の桟橋に行き、絵を描いた。

通りすがりの近所のおばあちゃんが僕の絵を見て驚いた。

「大ちゃん、なんで海を描かんの？　こんなにお日さんが射してキラキラしとるのに」

僕は海の手前にあるボロボロの船小屋の、誰も乗らなくなった木の船を描いていた。

それはとても寂しそうな船だった。

いま思えば、当時、僕の生まれ育った漁村は過疎化が少しずつ始まり、漁をやる人もほぼいなくなっていた。木の船は朽ち果て、ゴミが捨てられ、それはそれはとても寂しそうに見えた。僕は、海ではなくその船を描いた。

世界は、日本は、人間は、そのときによって良くも悪くも見える。世界の貧困や紛争、そんなことばかりを見ていたら世界を描くときに、とても暗くて怒りに満ちた絵を描くだろう。一方で、優しい友達、新しい発明、素敵なものばかりが目につく人たちはとてもキラキラした絵を描けるだろう。

この本で僕は、文字を使って、僕から見えた世界を描いた。

美しい海を見ずに朽ち果てた船を描くような男だ。あなたには、これまで見えていなかった景色を僕は描いているかもしれない。そしてそれは、僕が漫才で投げ込んだあのザリガニのように、誰かに恐怖や怒りを覚えさせるだろう。

もちろんそれは、僕にはそう見えた、その程度のものかもしれない。あなたとは違うかもしれない。

だけど、一つだけ言えることがある。

見え方は違えど、それは、確実にそこに「ある」ということだ。

あの頃に僕が見た、朽ち果てた木の船のように、そこに確実に存在するのに、ないものにされている景色がある。

そんな透明にされている景色を、おれはこの本であなたたちに現実として突きつけてやりたい。

見て見ぬふりをする、すべての無関心なあなたたちへ。

村本 大輔

おれは無関心なあなたを傷つけたい　もくじ

手作りキンパに想うこと

広島の独演会に毎回来てくれるご夫婦がいる。独演会終わりで声をかけてくれた。旦那さんは学校の先生をやっているらしく「ぜひうちの学園祭で独演会をやってほしい」と言われた。

正直、僕は高校生が好きではない。どうせおれの独演会なんか口をぽかんと開けて、「何意味のわからないことを言ってんだ、このじじい」的な感じで見られそうだし、いまもたまに街なかでチャリンコに乗った高校生たちに「村本ー！」「ウーマンラッシュアワー！」というバカ丸出しのヤジを飛ばされるから「高校生は全員こんなやつだ」と思い込んでしまっていて、ライトな漫才をしにいくならいいけど、社会の問題なんかを笑いを交えて叫ぶような僕の独演会で笑えるような高校生はいないだろうと思っていたからだ。

しかし、そのご夫婦は独演会に来るたびに毎回「学園祭で独演会をー」と言ってこられるものだから、こんなに時間とお金を使って来てくれるなら一回くらい、まぁいっかと彼の学校の学園祭に出ることにした。

東京から広島に行き学校に着くと、そこの生徒たちはチマチョゴリを着ていた。先生に理由を聞くと「ここは通信制の学校で、ここの生徒たちは朝鮮学校とこの学校、両方で勉強しているんです」と。朝鮮学校は高校卒業の資格を取れない、でも親のルーツのことも勉強したい、親が出た学校を出たい、と彼らは朝鮮学校と通信制の学校の両方で勉強していると言っていた。

朝鮮学校はほかの学校と違い、授業料が無償化されていない。だから彼らの親は昼夜働き、朝鮮学校の授業料を払っている。少しでもそんな親を楽にさせたくて、生徒たちは朝鮮学校の無償化を街頭で訴えていると言っていた。

でもこの日本には、個人で見ずに「朝鮮」というだけで子どもにも汚く幼稚な言葉を浴びせる人たちがいるみたいで、街頭で呼びかけをしている彼らのもとに街宣車で現れ、汚い言葉で暴言を投げかける。しかし、彼らは負けずに街ゆく人たちに声をかけ、ビラを配り、一生懸命、朝鮮学校の無償化を訴えている。

独演会終わりにみんなで写真を撮ったんだけど、本当に生徒は男子女子ともにすごく可愛らしくて誠実で純粋だった。

彼らに暴言を浴びせる日本人、そして彼らをスルーする日本人がいるという現実を知った僕は、少しでも応援したいという気持ちでツイッターに「朝鮮学校に行ってきた。無償化のビラを配っているので、もし出会ったら受け取ってあげてください」と、写真付きで投稿した。

するとネットで激しい誹謗中傷が、彼ら高校生に向かって飛んできた。後日、その中の一人があまりにもショッキングな誹謗中傷にすごく傷ついている、と先生から連絡があった。

とりあえず彼らの写真は削除した。生徒からも連絡があり「私たちにかかわってくれてありがとうございます。村本さんにも迷惑をかけるかもしれないので、無理はしないでください。私たちにかかわってくれてありがとうございます」と言われた。

自分たちのことより相手を気にかける高校生。なぜ彼らはこんなに優しいんだろう、と考えたが、それはおそらく痛みを知っているからなんだと思った。

高校生なのに街頭で自分たちの主張を訴え、街宣車に罵られながら一生懸命、国とこの国の空気に訴える姿勢。ずっと無関心だった僕は少し恥ずかしくなり、おれは何やってんだろうと、一昨年の年末の漫才にほんの少しだけだが彼らのことをネタに組み込んだ。

するとオンエア後に信じられないくらいのメッセージが届いた。ゴールデン、しかも、お笑いで、漫才で「朝鮮学校の無償化」という言葉が入っていることが衝撃だったらしく「家族でテレビを観ていたら、急におじいさんが泣いた。それを見てお父さんが泣いて、私が泣いた」というメッセージがあった。おじいさんの苦労を知るお父さん、お父さんの苦労を知る娘。

その前の年には沖縄の辺野古を漫才にした。そのときも同じような反響があった。ゴールデンの番組で漫才で、辺野古、高江というワードが出てくることに驚いたと。原発のネタをやったときも同じく反響があった。

僕は数年前からアメリカのお笑いをよく見ているけど、そんな社会問題や言葉は当たり前に出てくる。でも、この国では出てこない。

なんなら、そういった言葉を出すだけで「笑いから逃げている」と言う人たちもいる。

コメンテーターとしてニュース番組に出ていても、専門家に任せて、あとはやんわり核心をそらす芸人たちこそ、笑いから逃げているように見える。それはただのテレビ村で生き延びたい人たちの家畜忖度(そんたく)根性を正当化しているだけに思える。

そして最近、再び朝鮮学校に行く機会があった。大阪の独演会に来てくれる女性が大阪にある朝鮮学校のお母さんの会の人だった。

彼女は僕をつかまえ、「ザマンザイを観まして、ぜひ、村本さんに、うちの朝鮮学校で独演会をやってほしい、子どもたちが元気ないので元気つけてほしい!!」と凄まじいマシンガントークでまくし立ててきた。彼女のパワーに圧倒され、街宣車に煽(あお)られる高校生たちの気持ちが少しわかった気がした。笑

しかし、広島の先生とは何度も話していて関係性もあったから協力したいと思ったけど、その朝鮮学校のお母さんとは面識もほぼなかったから少し迷った。

それでも、あまりに何度も独演会に来ては「来てほしい!」と一生懸命に言ってこられるので、マネージャーに話をつないだ。

しかし、朝鮮学校はお金がない。吉本の提示する学園祭の料金を支払うことは難しい。

そこで僕は提案した。無料でやらせてくれと。しかし条件がある。無料でやる代わりに好きな話をさせてくれ、と。

好きな話とは日本人の僕が見てきた「在日朝鮮人」の話だ。

たとえば僕が高校を辞めて植木屋でバイトをしていたとき、焼肉屋の駐車場の植木の仕事をやっていて、そこの娘さんと友達になった。その話を違う会社の人に話したら「朝鮮人やぞ、話すな!」と怒られた。

大阪のカラオケでバイトをしていたときは、「新人のバイトの金本くん、あれ在日やで、言ったらあかんで」と言われた。なぜ言ったらダメなのかわからなかった。日本に住む外国人は、みんな在日なのに、なぜか朝鮮の人を呼ぶときだけ「在日」と呼ぶ空気にも疑問を持った。

とにかく僕が見てきた様々な「彼らの話」をさせてくれるなら、本気で話せるなら無料でやると言った。

それでオッケーをもらい、当日、なんばグランド花月の裏口に朝鮮学校の子どもたちのお母さんが車で迎えに来てくれ、僕は彼女らに連れられて大阪の朝鮮学校に向かった。

その中で朝鮮学校のいろんな話を聞いた。

チマチョゴリを着て街を歩くと罵声を浴びせる人たちがいて危険なので、生徒たちは学校まで私服で来てからチマチョゴリに着替えるらしい。

それを聞いて、日本の18歳以下の野球の代表チームが韓国に行くとき、空港で日の丸のないシャツを着せられて入国したという話を思い出した。それに対して彼らはバッシングを浴びていたけど、一番日の丸を付けたかったのは選手たちだろう。いつでも大人たちの幼稚な喧嘩に巻き込まれるのは彼ら子どもらだ。

お母さんたちは手作りのキンパという韓国の巻き寿司をお弁当に持ってきてくれた。だいたいこんなときは店で買ったお弁当でも用意してくれるんだけど、人の手作りが食べられない派の僕は最初、まじか……と思ったけど食べてみたらめっちゃおいしかった。

そして、朝鮮学校に着いた。お母さんたちに「子どもたちにはサプライズなのでバレないように楽屋まで行きます」と言われた。これが芸人にとって一番つらい。笑　おれが毎日テレビに出ている芸人ならまだしも、ここ何年もテレビに出ていないやつのサプライズは、こけたときの恥ずかしさはすべて僕にのしかかる。

楽屋に向かう途中、風邪で早退する生徒とすれ違った。お母さんたちはおれを必死で隠そうとしたけど、彼に見つかってしまった。彼は素でペコっと会釈だけして帰っていった。

「お母さん！　見ましたか‼　あのリアクション！　絶対、サプライズ変な空気になりますって！」とビビりまくったが、お母さんたちは絶対に大丈夫です、と謎の自信で僕を舞台に送り込んだ。

体育館に集められた子どもたちは、僕を見てすごい歓声をあげた。あとで聞いたらテレビの漫才で朝鮮学校無償化にふれたことで、生徒たちの間でもすごく話題になっていたらしい。

中学生、高校生たちがキラキラした目で僕を見ていた。僕は怖くなった。なぜなら、このまだ幼い彼らに、これからショッキングな話をしないといけないからだ。勇気が揺らいだ。葛藤した。

知らなくていいことを言って傷つける必要はあるんだろうか。もしかしたら、それはあくまでも僕が見てきた人たちであって、彼らは素晴らしい日本人に出会うかもしれない。わざわざそんな先入観になるようなことを言わなくてもいいのでは、と。

でも、ただお笑いをやるならおれじゃなくてもいい。おれは彼らに知ってほしい、この国の現実を。

途中、何度も話が止まった。

静まり返っては笑いをとり、笑いをとって小休憩したらまた突きつける。その中で僕は言った。

ルーツがあることは素晴らしいことだ。ルーツに迷い、困惑し自分が何者かを悩むことは素晴らしいことだと。

アメリカのコメディアンは自分のルーツを学び、発言する。黒人白人メキシコ人などなど、なぜここにいるのか、自分は何者か、と。そこから気づきがたくさんある。

たとえば黒人なら、アメリカという国に奴隷として連れてこられた。まだまだ白人との格差も目立つ。彼らはそのルーツから学び、人としての尊厳を主張する。ジャズもヒップホップも、表現は彼らの権利の主張だ。

だから僕は、朝鮮学校の彼らにもルーツに真摯（しんし）に向き合い、そして権利を勝ち取ってほしかった。

なぜここに来たのか、独演会をしながら頭の中で何回も僕は僕に聞いた。

僕は味方だよ、と言いたかった。

僕はよく、どうして日本人なのに朝鮮学校にそこまで関心を持ってくれるんですか？と言われる。

僕は高校も中退していて、たまたま芸人として生活ができている。もし笑いがなかったら、おれの人生はなかった。可愛い女の子とデートできるのも、高い家賃のマンションに住めるのも、笑いで自分が幸せになる権利を勝ち取ってきたからだと自信を持っている。

だから彼らにも、打ちのめされることや、無力で涙を流すことを、すべて未来への大事な経験にして幸せを勝ち取ってほしい。怒りに取り憑かれて恋することや友達との時間を忘れないでほしい。彼らのように、いろんな景色を見てきた人たちは格段に強く優しくなれる。

それを伝えたかった。

独演会後に、生徒たちが教室のベランダに集合して手を振ってくれた。難しい話、ショックな話をしたけど、最後までいい顔で聞いてくれた。伝わってほしいことを心で感じてくれた。

そして僕が、今回の朝鮮学校訪問で一番素敵だと思ったのは、翌日、50枚近い写真が彼らのお母さんから送られてきたことだ。

その写真はほぼすべて僕ではなく、子どもたちの笑顔だった。つながりの薄くなってきているこの時代に、強いつながりと結びつきを見た。

社会がすごく緊張状態にあるから、そこから自分たちを守るために強く一体化する。

彼らをルーツだけで批判する人たちに言いたい。

あなたには、彼らのようにあなたの笑顔を見たい一心で必死に行動し、あなたの笑顔を守るために走り回り、あなたの笑顔を自分の幸せのように写真に撮ってくれるような人がいますか、と。

僕はお母さんたちの手作りのキンパから、すごく温かいものを感じさせてもらった。

犠牲の上にあぐらをかく人たちはかいている自覚すらない

僕は泣いている人がいたら、それが友達だったらそこに行き、その人の泣いている景色を見に行く。なぜ泣いているのか、怒っているのかを聞きに行く。

1年ほど前に、たまたま気になったツイートがあった。そのツイッターのアカウントの人は、ずっと石垣島に自衛隊の基地ができることに怒っていた。いや、細かく言えば、基地ができることよりも、それを強引に進めようとする国や行政のやり方に腹を立てていた。

僕はそのアカウントをフォローしてその人と友達になり、最近、以前にも増してその人が怒っている気がしたので、その人を笑わせてやろうと石垣島に行った。

そこでライブをし、その打ち上げで地元のマンゴー農家の若い男と出会った。彼は「うちのマンゴー農園を見に来てほしい」と言ってきた。僕は冬なのにマンゴーを食べられると思ったけど、マンゴーは夏しか食べられないと丁寧に説明された。

でも翌日、彼のマンゴー農園を見に行った。彼はこのマンゴー農園について細かく教えてくれた。マンゴーのつくり方、なぜこの農園があるのかまで。

この農園は、彼の両親が与那国島から40年前に移ってきて、広大な荒地を耕し、台風で何度もマンゴーがダメになりながらも2000本の防風林を植え、一生懸命つくった農園だ。マンゴーは水と空気でできている。ここの環境がこのマンゴーたちにぴったりなんだと。

しかし、この農園の隣に自衛隊の基地ができる。彼の親も不安になり、影響はないのか調査をお願いしたけど、ちゃんとした調査もしてくれず、何かあってからの保償も約束してくれない。住人たちが許可していないのに、もう工事は始まっている。

マンゴー農家の彼は、せめて石垣島の住人がどう思っているのか、住民投票をやろうとした。しかし、条件として1ヶ月以内に有権者の4分の1以上の署名が集まらないと住民投票はできない。

石垣市の有権者の数は約3万9千人。マンゴー農家の若い彼は農園の仕事後に、街に出て署名を集めた。その途中に奥さんとの間に子どももできた。寝ずに頑張りすぎたからか、居眠り運転で近所のさとうきび畑に突っ込んでしまったくらい、寝る間も惜しん

で島の人たちの声を聞きたいと走り回った。そして、約1万4千人分の署名を集めた。しかし、石垣市はその住民投票の実施請求を無効にした。彼ら若者が集めたものを無駄にした。

たくさんの声は社会を変える。市は変えられるかもしれないという恐れから、声を出せないようにした。いまは民主主義とか言っている場合じゃありません、ということだろう。皮肉にも中国式のやり方だ。

沖縄にたくさんある米軍基地や自衛隊の基地が、自分の家の裏にできるとなれば共感できるが、そうでないと共感できない。

共感だ。当たり前を疑えない人が増えている。電気は使えているのが当たり前。無自覚に電気は共有するが、原発がある街の痛みは共有しない。

基地があるその街には、戦闘機の轟音(ごうおん)と兵士の犯罪、慰謝料すら払ってもらえない可能性がある不平等な日米地位協定がある。その痛みを共有せず、基地があることによる安心は共有しようとしてくる。本当に卑(いや)しい。

豊かで贅沢で何も感じなくなっちゃったのか。牛を食べて生きているなら、牛を屠殺(とさつ)

したときに、シンクロして人間にも傷がつけばいいけど、それは不可能だから神様は心をつくった。少しでも痛めるように、痛みからありがとうとごめんなさいを言えるように。痛まなくなった人は、人ではない。豊かさの上にあぐらをかいている悪魔だ。

光を知るために闇を知らないといけない。あなたが豊かさを感じるために困っている人を知るべきだ。あなたの自由は、誰かの不自由のもとに成り立っている。


たとえば、こうだ。うちの地元は田舎で長男が家を継がないといけない。しかしおれは、長男なのに継がず、芸人になりに大阪に出た。すると、弟が田舎に残らないといけない。弟は田舎に残った。そこでも仕事ができるから、と。

武力で国を守るという考えもある。銃を携帯することによって銃を持つ相手から守れる。隣の国だけ銃を持つと、いつでもこっちの大切なものを奪われるから、こっちも銃を持たないといけない。おれの一番下の弟は自衛隊員だ。銃を代わりに持ってもらっている。

僕らの社会は誰かに代わりにやってもらっている。

おれはお笑い芸人だから、自分が誰かの代わりにやっている、犠牲になっているとは思わない。自分でやりたいからやっている。やってあげているなんて思わない。でもそれがやらされているなら、それは犠牲だ。
沖縄の石垣島の自衛隊の基地ができる土地のまわりに住む人が、自分からやりたくて基地に賛成しているならいい。やらされているならそれは無理やりだ。誰かのための犠牲だ。犠牲は誰かの安心のための生贄（いけにえ）だ。

２０１９年の台風19号の夜、台東区の避難所からホームレスが追い出された。彼らが追い出されたことによって安心した人たちは、追い出されたホームレスは犠牲なんだから、その犠牲を目をかっぽじって見るべきだ。

あの日、台東区から追い出されたホームレスは３人。ひとりは、脳梗塞で働けなくなってホームレスになったおじさんだ。彼はあの夜、傘一本で朝までしのいだ。彼は誰のことも責めない。

知らなかっただろ？

知ろうとしていないだけだ。

町がなくなる気持ち

２０１９年2月12日、僕はこんなツイートをして火だるまになった。

「福島の浪江町で21時以降の遅くまで開いてる飲み屋さんありますか？　自分の町がなくなることへの話が聞きたい」

僕の地元は福井県のおおい町。原発の町だ。その町でも地震が起これば同じことになる。だから、彼らの気持ちが知りたいと思い、こうツイートをした。

僕はこうした問題に対して、影響力のある芸人がスルーしていることにかねてから腹が立っていた。子ども向けの「おはスタ」みたいな番組に出て、子ども向けの笑いをやる。この国には疲弊している大人がいるのに。幼稚な若い人たちに向けて笑いをやる彼らが、どんどん幼稚化しているような気がしていた。

僕は疲弊している大人を笑わせたかった。大人は新聞を読む、問題を知っている。僕も日本にある問題を肌で感じて知りたい。そのためには、まず自分ごとでもある、原発の街の気持ちを知る必要があった。

しかし、そのツイートの「自分の町がなくなること」という言い方にデリカシーがなさすぎて「町がなくなるとは何事だ！」と、有名なジャーナリストなんかも怒って大炎上し、火だるまになった。まあ、もともと書き方がガサツだから、そんな事故も起きてしまう。言葉足らずでなければ、もともと炎上なんかしていない。

そのメッセージの中に「浪江町にイフという居酒屋があります」とあったので、僕は電車に乗ってそこに行くことにした。

完全にプライベートだ。もしかしたら、僕のそのツイートに激怒している人たちもいるかもしれない。でも、知りたいから行くしかない。

東京から3時間ぐらいかかったか、着いた浪江町は小さな町だった。僕は駅から歩いて数分のその居酒屋に行った。

10人より少し多いくらいだったと思う。地元の人たちが集まってくれていた。大半はおじさんだった。

僕はまず地元の酒をぐっと飲み「ツイッターであんなことを書きましたが、僕の町も原発の町。みなさんの声が聞きたいです」と話した。

すると、一人の男性が話し出した。

「町がなくなるというのは当たってます。この町はもう終わってます」

そう言ったのは牛飼いのおじさんだった。

聞けば、彼はこの町で牛を飼っていて、原発事故のあと、犬や猫は連れて行っていいけど家畜は殺してくれと政府から言われたらしい。彼はそれが悔しくて、一匹も殺さずにその牛たちを飼い続けていた。

彼はこう言った。

「この町はオリンピックで聖火ランナーが走る。その場所だけ綺麗に整備している。でも、町はこの有り様だ。人は出て行っていない。原発事故で放射能を浴びた土を運ぶトラックだって何台も走る。でも聖火ランナーが走るときはそのトラックを走らせない。福島が復興したかのようにテレビで世界に見せることで、日本は元気ですというアピールに使われている」

そんな感じのことを話していた。まだ病気がちで顔色が悪い人に、オリンピックのときだけ化粧をし、元気ですよとアピールさせるようなものだろう。

「もうこの町は終わったと言ったほうがいい。国のアピールに使われたくない」

彼はそう言っていた。

でも、その牛飼いの男性が帰ったあと、一人の男性が僕のほうに来てこう言った。

「彼はああ言うけど、僕はまだ浪江町は終わってないと思いたい。終わったと思ったら本当におしまいになる。言いにくかったけど、僕は聖火ランナーでもなんでもやって、この町をもっとアピールするべきだと思う」

そのおじさんは、原発事故で町からの避難指示が出たあとも、家の窓に段ボールなどを貼り、電気が点いてないようにしてずっと家に居座り続けた。

それぞれ意見は違うけど、そこに残り続ける二人から、違った形の故郷への愛を見た。

17 18 19 20 21 22 23
24 25 26 27 28 1 2
土曜 予約営業

その中に、福島の新聞記者が一人参加していた。まだ僕よりもひとまわりほど若い男だった。

彼は明日、浪江町を案内したいと言ってくれた。だから僕は、翌日の仕事の予定を変更し、彼と一緒に浪江町を回ることにした。

誰もいない町、走るのは土砂を積んだトラックばかり。建物はたくさんあるけど、テープで「立ち入り禁止」と書かれていて、空き家だらけだ。聞けば全国から泥棒が集まってきて、物を盗んで行くんだそうだ。だから、土砂を運ぶトラックとパトロールのパトカーだけが誰もいない町を走り続ける。

記者の彼に、小学校に来てほしいと言われ、2018年4月に全校生徒10人で開校した、なみえ創成(そうせい)小学校・中学校を訪問した。

その学校は原発事故のあとにできたもので、たくさんの税金が使われ、すごく綺麗で何百人と入る大きな学校だ。しかし、そこには10人ほどの生徒しかいない。原発事故で町から人が出ていき、残っている人が本当に少なくて子どもたちの数もこれだけしかいないのだという。

彼は子どもたちを励ましてほしいと言って、アポなしで小学校に僕を連れて行った。

そして校長室に行き、校長先生に経緯を説明してくれた。校長先生も理解ある人で、アポなしで来た僕を受け入れてくださり、サプライズで教室を訪問してほしいと言われた。

でも、僕は嫌だった。なぜなら僕はもう何年もテレビに出ていない。僕のファンだと言う年齢層は40〜50代で、小学校の子どもたちが知っているわけがない。

校長先生も記者の彼も「何言ってるんですか！ ウーマンラッシュアワーですよ！ あのM－1チャンピオンの！」と言ってきたんだけど、そもそもTHE MANZAIだしM－1じゃないし、お前らが間違えてんじゃねえかよと思ったけど、結局断ることもできずに、1年生から6年生まですべてのクラスをサプライズで訪問することになった。


教室に入る前に中を覗くと、だだっ広いクラスに子どもと先生がマンツーマンで授業をしていた。福島の原発事故で同級生たちは町を離れたんだろう。

彼らの親はなぜ残ったんだろうか。彼らは何を思っているんだろう。

そう考えると、胸が苦しくなった。

校長先生は、テンションを上げて教室の扉を開け、「スターがいらっしゃいましたー」ぐらいの勢いで僕を紹介した。

しかし、子どもは真顔、いや硬直していた。知らないおじさんが勝手に入ってきた、といった感じだった。

先生すらあまり知らなかったみたいで、静まり返る教室。

「あの漫才をしてて、ウーマンラッシュアワーの村本と申しまして、昔はアメトークとか、あの、」と自己紹介をして、そっと教室を出た。

それを1年生、2年生、3年生と繰り返し、まったく知名度のない僕は完全に心が折れたから、もう帰りたいと言ったけど、校長も記者も「いや上級生は大丈夫、上に上がるに連れて知ってますから大丈夫です」と言われ、4年生、5年生も回ったけど、まったく同じ感じになった。

6年生のときにはもう、校長も記者も「知らないと思いますが、ここまで来たらもう最後まで行っちゃいましょう」と全員が諦めモードで教室に突入し、案の定、沈黙されて撃沈し、僕は悲しみに打ちひしがれて学校を出た。

その帰り道、「おはスタみたいな子ども向け番組に出ているやつがうらやましい!!」と思ってしまった。もしおれがそうなら喜ばせられたのに。

被災地を回っていつも思うのが、熊本も、福島も、次第に人が来なくなるということだ。

でも、まだ終わっていない。終わらない。傷は癒えない。だから思い続ける姿勢を持ち続けないと。僕たちはやることがあるけど、いつだってそっちを見てるよ、という姿勢だ。見られてないと思うと、そこは透明人間になってしまう。

まあ、あの子どもたちには僕が透明人間だったけど。

大人の着ぐるみを脱げ

子どもの頃の話。僕は勉強が苦手で逃げていた。

授業でわからないことがあって手をあげた。先生は答えてくれた。それでもわからなかったのでもう一度手をあげた。クラス中が失笑した。職員室に聞きに行った。先生はめんどくさそうに答えてくれた。

そのめんどくさそうな顔や失笑が怖くて、それから聞くのをやめた。中学のとき、テストの結果の順位は1位から10位までしか発表しない。僕は79人中79位だった。小学校の早いうちから、ついていくことを諦めたからだ。

親にはマンツーマンの塾に行かされた。その塾の先生は眠かったら寝ていいよと言ってくれて、いつも先生と2人で寝ていた。もちろん成績が上がらないので塾はやめさせられた。

79人中79位は恥ずかしいことだけど、まわりに公表されないから、おれはいつも友達に「お前の順位は何位？」と聞かれて「あと少しやったのに……悔しくて言いたくない！」とあたかも張り出されるギリギリの11位のような顔をしてやり過ごしていた。

自分だけが知らずに笑われるのが嫌で、怖くて、聞くことをやめた。聞くことをやめ、同時に知ることもやめた。勉強についていけず高校を中退した。


そして、唯一やりたかった芸人になろうと大阪に行き、10年後にいまの相方、中川パラダイスとコンビを組み、フジテレビのTHE MANZAIという大会で日本一になった。その大会はM－1が一度終了した時期に行われていた漫才の大会だ。

そこで優勝し、フジテレビのいろんな番組に呼んでもらったが、その中でも「すべらない話」という番組によく出演させてもらっていた（一生分すべったのに）。

その「すべらない話」のプロデューサーが、ニュース番組のゲストコメンテーターを探していた。ニュースなんてまったく見ないし興味もなかったけど、テレビに出たい一心で出させてほしいと言って出演させてもらった。

そこでわからないことをわからないと言ったり、素直に発言したりする姿をAbema TVの「ABEMA Prime」という番組が気に入ってくれて呼んでもらった。

そのとき、コメンテーターに元NHKアナウンサーの堀潤(ほりじゅん)というジャーナリストがいた。番組終わり、彼を追いかけ「衆議院と参議院て何ですか!」と質問をした。おれはMCがこんなことを聞くのは恥ずかしいと思ったけど、こんなレベルでそんなことを言っている場合じゃない、と思い声をかけた。

彼は飲みに誘ってくれ、その日から定期的に原発や沖縄の基地の話を聞かせてもらった。学校の勉強やマンツーマンの塾でもすぐ投げ出していたおれだったが、彼との勉強は楽しかった。おれの子どものようなシンプルな質問に「面白い視点ですね」「いいポイントですね」と言ってくれたからだ。褒められると聞くのが楽しくなった。

そのときに子どもの頃からのトラウマだった「聞くこと」「知ること」の楽しさを知った。何回手をあげても笑われないし、どれだけ掘り下げて聞いても答えてくれ、時には、わからないから一緒に考えようと言ってくれた。同期のキングコングの西野も、子どもに絵の描き方を聞かれて「一緒に考えよう」と言ったという話を聞いたことがある。僕はその言葉が好きだ。

「知る」ことが楽しくなった僕に、さらにいろいろなことを教えてくれたのもABEMA

Primeでの経験だった。東日本大震災の被災地・気仙沼や震災後の熊本など、番組のMCとして普段気になっていたけど一歩行く勇気がない場所に連れていってくれ、地元の人たちと話す機会をつくってくれた。

その中で感じたことがある。僕たちは、よくニュースで「情報」を得るとか、熊本の被災地の「情報」を教えてとか、よく「情報」という言葉を使う。テレビや新聞、ネットニュースからも「情報」を得る。

僕が現場に行って知ったのは、僕が「情報」という言葉を使っていたその実態は「痛み」だった。誰かの痛みだった。

たとえばいま、福島の新聞記者と仲良しで、たまに福島に行って話を聞く。そのとき、彼にこんな話を聞いた。

「いま東日本大震災で、東京電力が原発事故による被災者に賠償金を払っているんだけど、それに東京のヤクザが目をつけて、より多くの賠償金を取ると言って、その口車に乗せられた人たちは、詐欺に利用されて共に逮捕されてしまう。被災者なのに犯罪者になってしまった人もいる」と。これも誰かの「痛み」だ。

「#検察庁法改正案に抗議します」で、ニュースもツイッターもそればかりを取り上げていたとき、東京の朝鮮大学の入学式を狙って在日朝鮮の人たちへのヘイトスピーチがあった。ヘイトスピーチという差別発言を繰り返す人たちがいる。

在日コリアンの人たちは、子どもを朝鮮大学まで進学させた。様々な葛藤もあっただろう。帰化して日本人として生きていくほうがいいんだろうか。年々減っていく在日コリアン。それでも、自分たちのおじいさんたちの気持ちを受け継ぐ葛藤。そんな中、入学式は晴れの舞台だ。そのタイミングをわざわざ狙って差別用語を浴びせに来る人たち。

僕のインスタグラムのＤＭに、在日朝鮮人の女の子から悲痛なメッセージが届いた。ニュースにもならず、苦しくてどうしたらいいかわからなかったんだろう。僕はこれを情報とは呼べない。これも激しい痛みだ。

新型コロナウイルスの影響で、とんかつ屋の店主が経営難で油をかぶって焼身自殺したのも痛みだ。福島では、原発事故後の汚染処理水を海に流すことに、地元の漁師が反対しているという。せっかく取り戻した福島のイメージが風評被害でまた悪くなり、福島の魚が買われなくなるんじゃないかと。これも痛みだ。沖縄ではコロナ禍の不安でお年寄りが座り込みをして基地反対ができない。その隙に工事は進んでいる。これも痛み。

テレビのニュースを見て情報を勉強する？

馬鹿なことを言っちゃいけない。そんなもんじゃない。ニュースは誰かの痛みをずっと伝えている。

しかし、コメンテーターはコメンテーターとして処理し、視聴者の大人は大人として処理をする。ニュースを語るものと知るものごっこのために、エンタメとして消費されていく。誰かの痛みが。


鹿児島の知覧（ちらん）特攻平和会館に行って、特攻隊員が特攻前に家族にあてた手紙を読んだことがある。そこには「お父さんお母さんありがとう」と書いてあった。

それで何を知った？　戦争の悲惨さ？　特攻隊がいたということ？

そこで知るのは、その手紙を書いた本人の悲痛な痛みだ。その手紙から痛みを受け取るために手紙が残されている。あなたがそこに行ったという話をするためだけに、彼らは手紙を書いたのではない。

原爆ドームはなぜそこにある？　あなたが広島に行ったことを話す会話のネタとしてあるんじゃない。あれも情報ではない。共有してほしい痛みだ。

おれの鹿児島の友達がこんなことを言っていた。歴史上のどんな悲惨な出来事も、時間が経てば語呂合わせで覚える。テストで正解するために。

たしかにそうだ。そこには多くの痛みがあったはずだ。でも、僕らの想像は過去へは及ばない。キリストの痛みを本で知った気になっても、過去には戻れないし、彼とは話せない。

しかし、いま現在も、磔（はりつけ）にかけられている人たちはたくさんいる。コロナ禍のステイホームで経営が上手くいかなくなり亡くなった人は何百年も前の人ではない。沖縄で座り込みをしている人も、親に負担をかけたくないからと街宣車に罵声を浴びせられながら朝鮮学校無償化のビラ配りをしている高校生たちも、いまを生きている。

オリンピックを誘致したせいで復興が遅れている福島も、コロナ禍でバイトを辞めることになって大学の学費が払えない人もだ。国がなくなり、難民となった人も、父親が犯罪をして自分の人生まで否定されて悲しんでいる人も、いま、痛みの声をあげている人だ。

声なき声ではない、聞こえているのに聞こえないふりをしているのはおれたちだ。それらはただの情報だ、と理由をつけ、しょうがない痛みだと切り捨ててしまう社会に、日々変化しているような気がする。

僕らが知るべきは、大人が教えるべきは、情報ではなく「痛み」だ。僕らがなるべきは、情報を知っている人間でなく、「痛み」を知っている人間だ。

塩の効かないナメクジ

２０１３年に漫才で日本一になった。僕は２０００年からお笑いを始めた。だいたいクラスの人気者か、クラスでは物静かでいつもお笑いのことを考えているやつがこの世界で結果を出すイメージがあるんだけど、僕は学校では空回りタイプで、だいたい２年以内にはお笑いをやめてしまうやつの典型だった。

２０１３年にフジテレビのＴＨＥ ＭＡＮＺＡＩで優勝するまで約13年間、毎月のオーディションに落ち、Ｍ－１グランプリなどの大会にも落ち続けた。

そして、島田紳助さんが引退してＭ－１も終わった。Ｍ－１だけが漫才師がテレビに出る唯一のきっかけ。ミシュランに載るような、世間に見つけてもらうための目印みたいなものだ。それが終わったときに、おれはもう終わったと思ったんだけどＴＨＥ ＭＡＮＺＡＩという芸歴の関係ない大会がフジテレビで始まり、それに救われた。

吉本には劇場があって、その舞台に立つには何度も厳しいオーディションを勝たないといけない。毎月200組くらいだったか、オーディションを受けるための抽選をする。どういうことかというと、参加人数が多すぎて、オーディションを受ける前に、オーディションを受ける権利をかけた抽選くじを引かされる。確率が何割かは知らないけど、おれは2ヶ月連続でそれを引き当てられなかったときがある。

そのくじを引き当てた芸人は、2分のネタを舞台の上でやる。出場する芸人は吉本からチケットを買取り、それを友達や街なかで売り捌(さば)いてお客さんを集める。

審査員が面白くないと思ったら、途中でボタンを押されて強制終了だ。僕らはどこでボタンを押されるかわからない恐怖の中、漫才をやる。拳銃を突きつけられて漫才をやる気分。面白くなかったら引き金を引くからな、といった感じだ。

終わったあとには審査員からダメ出しがあるんだけど、拳銃を持つヤクザと話しているような気分で、「次は撃たないでくださいね」と言わんばかりの媚(こ)び方をする。よくよく考えたら、こいつらは実体験のない机上の空論作家で、いま思えばクソみたいなダメ出しだった。

地獄だ。僕らは毎日ネタづくり、なんならバイトの休憩時間までもネタをつくり、バイト終わりから夜中まで相方とネタ合わせをし、その抽選に並び、オーディションの権利を獲得し、舞台に上がる。それがもし笑えなかったらノイズだと扱われ、蚊を殺すかのようにピシャッ、とたった30秒で潰される。やつらの好みで、僕らの1ヶ月をかけたネタが終わらされ、また僕らは次の月のオーディションの抽選に並ぶ。

僕は中卒で学歴もなく、普通の仕事ができないほどポンコツなので、オーディションを落ちたあとの帰り道、リヤカーを引くホームレスを見て、僕もいつか彼らのようにと、彼らが未来の自分に見えるときがあって、青ざめた顔でまたファミレスにこもり、予知夢のように現れるホームレスという現実に飲み込まれないよう、死に物狂いでネタをつくった。

地獄はそれだけではない。その当時、その劇場のオーディションを勝ち上がったトップのメンバーは、笑い飯、千鳥、NON STYLEの3組だったと思う。その3組はすでにテレビにも出ていた。

その客席に座らされ、お客さんとして、席を埋めるための要員もやらされた。これはもう地獄中の地獄。ほぼ同期の千鳥とNON STYLEがお客さんから爆笑をとり、それをオーディション30秒で落とされるような僕らがお客さんと一緒に笑う。笑うとカメラに抜かれるから、ほかのエキストラ役の芸人は大笑いをする。その光景がまた地獄だった。

しかもそこには、その3組以外に、オーディションを勝ち上がった芸人たちも出ている。オーディションに負け続けた期間が長すぎて、そこに出ている芸人もおれよりだいぶ後輩だ。

先輩なのに負けていて、それに加えて彼らのネタの笑い屋をさせられる。屈辱死って存在するんじゃないのかってくらい、血管がキレて死んでしまいそうだった。

芸人を始めて最初の頃なら〝いつか僕だってああなれるかもしれない〟とキラキラした眼差しで見つめられるだろう。しかし、オーディションに落ち続け、それどころか抽選の玉すら外しまくってオーディションすら受けられないことが続いた僕は、実力どころか運もないんかい、と嘆いた。客席に座るエキストラの僕がいつもそこで見ていたのは、希望や夢なんかではなく、見たくもない現実だった。

舞台の上に立つ彼らとの力の差を見せつけられながら、カメラに抜かれようと必死に手を叩いて笑っているエキストラ芸人たちの顔は、「闇金ウシジマくん」に出てくる借金まみれのやつの悲壮感そのものだった。あんなに笑顔が怖くて悲しい人間は見たことがない。彼らは、その番組の放送を録画し、笑い顔が抜かれて映っているか確認して、テレビに出たという思い出づくりをする。

オーディションやエキストラの仕事が終わると、僕らはそのままバイトに行く。芸人とは大変で、長く売れなければ売れないほどバイトの期間が長くなり、僕はいつも先輩である年下の大学生に「村本さん、これそっちに運んでもらっていいっすか?」と、かろうじて敬語は使われながらもアゴで使われていた。

でも当時の僕にとって、そのエキストラの時間もバイトの時間も必要だった。いまいる場所が地獄だと実感しないと、ここから出ようとは思わない。

僕は才能がない、力がない、だからこの地獄から抜け出すために崖を登らないといけない。人間には1メートルの壁でも、ナメクジからすればその1メートルは気が遠くなる長さだ。僕はナメクジだ。上がるためには恐怖が必要だ。屈辱が必要だ。

実は一瞬だけ、客役のエキストラの僕が番組に映ったことがある。当時の芸人仲間が、それを写真に撮って送ってくれた。殺し屋みたいな顔でステージの上の芸人を睨みつける僕の顔を。

あ、もうひとつ、屈辱の時間があった。オーディションに参加するための抽選くじを引くために並んでいたら、後輩に割り込まれて、「ごめん、先に並んでるんやけど」と言ったら、「は?」みたいな顔をされ、小さな声で「あんなやつ売れたら死んでもええわ、ひゃっひゃっひゃ」と笑われた。

そういや、こんなこともあった。真夜中に漫才の練習をしていたら、当時、売れっ子だった後輩が酔っ払いながら「まだやってるやん、気持ち悪っ」と言って去っていった。こんな屈辱はまだまだあるけど、キリがないので先に行く。

僕は、オーディションに落ちるたび、大会の予選で落ちるたび、否定されてきたのはネタではなく、自分自身だと感じていた。また僕が否定された、また僕が拒否された、と。

でも、負けた日もみんなで強制的に打ち上げに連れて行かれる。そんなときは楽しめなかったし、笑えなかった。

そこでうまそうに酒を飲み、笑っているやつらは負け慣れているやつだ。勝ったやつを睨んで、自分の持てる手段である笑いで、寝首をかいてでも殺さないと。そうやって

僕はいまも漫才をしている。これを読んだら、もう笑えないかもしれないけど。笑

この話は実はフリだ。長くなったけど伝えたい話はここからなんだ。熱くなりすぎて長い前説になった。

あるとき、広島に住む友人からメールが来た。「今度の16日、朝鮮学校無償化の裁判の判決が出ます、また知らせます」と。

何度か書いているが、日本には朝鮮国籍の人たちが通う朝鮮学校というものが各地にあって、日本政府は高校無償教育の対象から除外し、ほかの学校が国のお金で授業料を無償化されているのに、朝鮮学校だけはその対象ではない。だから、在日コリアンの人たちと、それを支援する日本人の寄付で成り立っている。

先生たちの給料も払えないくらい学校は貧乏だ。だから在日コリアンの人たちは「ほかの学校と同じように無償化して、子どもたちに自分たちのルーツを学ぶ権利を」と、何十年も闘っている。

そのメールをくれたのは日本人なんだけど、彼は以前、朝鮮の子どもたちに学校で古文を教えていて、そこで子どもたちの力になりたいと一緒に街頭に立ち、無償化のビラ

配りをしたりしていた。ビラを誰かに受け取ってもらえたら、彼らと共に「前まで受け取ってもらえなかったのに、受け取ってもらえるようになってきたねー」と言って喜ぶ温かい人だ。

その人からメールが来て、そのときは「ＯＫ～！　また教えてください！」くらいの感じで返した。

朝鮮学校無償化を国が認めるかどうかの裁判の結果が出る日の前日、僕は大阪で仕事だった。

大阪の鶴橋に串焼きのおいしい店があると聞いて、その夜、そこに食べに行った。高架下にある煙だらけの小さな店だった。

そこでビールを飲みながら串焼きを食べていたら、後ろに見たことのある人たちがいた。フォトジャーナリストの安田菜津紀さんとジャーナリストの伊藤詩織さん、在日コリアンのジャーナリストの中村イルソンさんだ。

安田さんとは面識があったので、何してるんですか？と聞くと、どうやらいま伊藤詩織さんが安田さんの密着ドキュメンタリーを撮っているらしい。安田さんのお父さんが在日コリアンで、安田さんのルーツを辿るドキュメンタリーだそうだ。

中村イルソンさんも在日コリアンで、在日コリアンのたくさんいる大阪鶴橋の高架下で撮影終わりに一杯飲んでいたところに、たまたま僕がやってきたということだ。

話は在日コリアンの話になり、酒も入り、みんな熱くなっていた。

そんななか中村イルソンさんが、明日のことを考えると不安になる、と言ってきた。明日の無償化裁判の結果が怖い、と話してくれた。

そして、村本さんが在日のことを発信してくれるのが本当にうれしい、と頭を下げられた。彼はノートを取り出し、子どもたちへのメッセージが欲しいと言った。なんて書いたか忘れたけど、ずっと味方だぜ、みたいなことを書いたと思う。

おれの小汚い字を見て、イルソンさんは「ありがとう」と静かに深く、ゆっくりと喜んでいた。


判決当日、16日は昼まで大阪で仕事だった。

父が体調を崩したので16日の夜から福井に戻ろうかと思っていたけど、父と会うのは17日なので、広島の先生のメールのこともあり、呼ばれている、と思った僕は広島に行くことを決めた。聞けば、日本中から在日コリアンの人たちが、その結果を見届けに広島に来るらしい。

　僕は大阪で仕事を終え、新幹線に乗って広島に向かった。その途中に結果が出たみたいで、広島の先生から「負けました、残念です」とメールが来た。

「手作りキンパに想うこと」にも出てきた大阪のオモニも来ているらしく、彼女から「夜に朝鮮学校の体育館で集会があるので、そこに来ませんか?」と誘いを受けたが、裁判で負けた怒りの渦中に僕が行って冷やかしだと思われても嫌だし、あと、ああいうときは見つかったら決まってマイクを渡されて一言お願いしますって言われるから嫌だし、写真とかもめんどくさいから嫌だし、んーーーと迷っていた。

　でも、その集会の空気を知りたかった。僕はアメリカに行く。そのためには日本で起きていることをもっと知りたい。

　せっかくだから裁判で負けたばかりの在日コリアンの集会の空気を浴びさせてもらいに行こうと、広島市内でレモン酎ハイを2杯だけ飲んで勢いをつけ、タクシーの運転手さんに「朝鮮学校まで」と伝えた。

夜の19時、辺りは暗い。学校も終わっているから、運転手さんも朝鮮学校に行くとは思わず、「この辺りでよろしいですか?」と住宅街で降ろされかけたので、「いや、朝鮮学校にお願いします」と言ったら、え、こんな時間に朝鮮学校に、なんじゃ?みたいな感じになったが、そのまま送ってもらった。

秋の夜、すっかり暗くなった学校は体育館だけが明るく、電気がついていた。その体育館の中では在日コリアンの人たちが200名ほど、体育館がパンパンになるほど座っていた。

学生もいた。みんなマスクをしていたけど、悲しんでいるのがわかった。僕は体育館の一番後ろからそっと見ていたけど、後ろ姿からも怒っているのはわかった。広島のテレビ局も取材に来ていた。

島無償化裁判

大人たちが、かわるがわるスピーチをする。怒って、泣いて、子どもたちに謝って。彼らは、生まれた頃から日本にいた。気づいたときには日本にいた。戦時中に、日本は朝鮮半島を支配し、植民地にした。朝鮮半島から労働力として日本に連れてこられた人たちが、ここで仕事をし、家族をつくり、戦後、激しい差別にあい続けた。

関東大震災の朝鮮人虐殺はひどい話で、地震後の混乱しているときに朝鮮人が犯罪を起こしているという嘘が出回り、町中にいた朝鮮人たちは、地震で不安になって暴徒化した日本人たちに虐殺された。そんなひいじいさん、ばあさんたちの想いを背負って、ルーツを絶やさないようにと、自分たちの文化を学び続けるために闘っている。そしてまた日本政府に負けた。

いろんな人たちのスピーチを後ろで聞いていたら、村本だ、と見つかった。そして、スピーチをしてくれと言われた。

僕はスピーチが嫌いだ。そもそもあの場所は怒りと悲しみに溢れている。ふざけるのも違うし、正しいことを言うにも、「彼らにとっての正しいこと」を言わないといけない気がする。そのうえ、彼らと違って当事者ではないし、彼らと違って差別を経験していないし、不勉強も合わさり、迷惑をかける気もする。

声をかけてくれたのはこの学校の先生だったが、「子どもたちを喜ばせたいのでぜひぜひ」「みんな元気がないのでぜひぜひ」とグイグイ来るので、だんだん腹が立ってきた。おれはパフォーマンスをしに来たわけではない。ただ目を閉じてスピーチの中に隠れた彼らの想いを拾いたい、感じたいんだ。おれは正義の使者ではない。この悲しみに興味があるだけだ。だから、おれはスピーチを断った。

その後も、学校の先生や大人たちが、泣いたり怒ったりしてスピーチは続いた。でも申し訳ないが、そのスピーチには、僕の心は動かなかった。

理由は大人がスピーチごっこをしているように感じたからだ。なんていうか、たとえば泣きながら話しているのに「今日はマスクを義務づけられた。いまの政権は私たちの口を塞いだ」と言われたら、「え、この状況で少し狙ったような上手いこと言う?」と思ってしまったし、無理やり拍手をもらおうとするようなスピーチも多かった。

「負けていてはなりません!!!」と言って少し静まったあと、客席からパチパチパチパチと拍手。客席から「あぁ、ここは拍手のタイミングだった」くらいの空気を感じた。もちろんいいスピーチもあったけど、とにかく言葉がややこしくて難しく、小難しい本を読んでいるようなそんな気分になった。

スピーチが終わったら、最後は学生たちが歌を歌うと聞いた。僕はこのままではいけないと思った。おれがバッと笑わせてギュッとしめてやらねばと。

最後のスピーチが終わって学生たちがステージに上がっていくときに、僕は一番後ろから早歩きで歩いていって「ちょっと待って!」と言いマイクを掴んだ。

そして「ウーマンラッシュアワーという漫才師です」と言ったら、体育館がどよめいた。僕が漫才やツイッターなどで発信していることを知ってくれているみたいで、その空間の空気は、夜と朝が入れ替わったかのようにバサッ!!っと明るくなった。大人たちは動画を撮り出し、写真を撮り出した。僕はそこからスピーチをした。

「緊張感が過ぎる。ユーモアがなかったから、ユーモアを持ってきました」と言って、僕は僕の話をした。

僕は努力していろんなものを勝ち取ってきた。しかし、あなたたちが勝ち取ろうとしているものは、みんなが当たり前に持っているもの。みんなにある権利。学ぶ権利。平等に扱われる権利。昔、アメリカでは黒人は白人と同じバスには乗れなかった。同じレストランにも入れなかった。選挙での投票権もなかった。白人にあるものがなかった。

それを彼らは勝ち取った。当たり前のものを勝ち取らないといけなかった。

ＬＧＢＴＱの人たちも結婚することが認められていなかったり、僕に当たり前にあるものが彼らにはない。在日コリアンのあなたたちにも当たり前に僕にあるものがない。それを勝ち取るために闘う。平等という権利がない人には怒る権利がある。バカにされても何を言われても、その権利はあなたたちのものだから。こんな感じのことを言って笑いのオチをつけ、僕は次の学生たちにバトンを渡した。

ふと、ステージの上の学生たちを見たら誰も笑っていなかった。僕のスピーチに誰も浮かれていなかった。なんなら浮かれてスマホで動画を撮ったり、キャーキャーはしゃぐ大人に失望しているような眼差しにも見えた。

代表者の女子生徒が話し出した。彼女は台本を持っていない。大人たちはスピーチのとき、練りに練った台本に振り仮名までして、緊張しながら読み上げていた。時折、変なジョークを挟んだりしながら。

その学生は何も読まず、ただジッと客席の大人たちに向けて、怒りや悲しみを押し殺しながら、淡々と話した。僕は本物の怒りを見た。悲しみを見た。

彼女は言った。「私たちは絶対に下を向かない。下を向いて喜ぶのは政府だけだ」と。

そして彼らは韓国語の歌を歌った。肩を組み、涙を流しながら、力強い笑顔を浮かべながら。気づいたら、僕は涙が止まらなくなっていた。

そのあと、大人たちばかりが集まる親睦会に呼ばれた。子どもたちとは話したいけど、大人とは話したくなかった。なんかヘラヘラしているように見えたからだ。

僕は親睦会には行かず、広島の古文の先生とその奥さんと3人で別でご飯に行った。でも遅くまで飲んでいたら、あの大人たちの写真をパシャパシャ撮っていた光景を思い出し、腹が立ってきたので、「ちょっと顔を出しましょう、親睦会に」と言って、会場のお好み焼き屋に行った。

店を貸し切りにして、スピーチをしていた大人や客席にいた大人たちが、50人近く集まっていた。僕らが入ると、幹事をやっている男性が「お、村本さんがやってきました一!!」と言った。みんな大きな拍手で、盛り上がっていた。みんな酔っ払って楽しそうだった。裁判の話をするんだけども、昔話のように語っていた。今日の痛みのはずなのに。

みんながずっとワイワイ盛り上がっているところを、僕はずっと端から見ていた。そして我慢できなくなって、「話させてくれ」と言って前に出た。椅子の上に立った。

やきそば
580

僕はこんな話をした。

「僕はまったく面白くないやつでした。だからずっと闘ってきたけどずっと負け続けました。

その当時の夜は笑えなかった。またあの地獄に戻るかと思うと、悔しくて、おいしい酒なんか飲めなかった。あのとき、負けて、楽しそうにしていた芸人は、いま誰も勝っていない。

今日僕が体育館でスピーチをしたとき、浮かれているみなさんを見ている子どもたちの目が悲しかった。一番心に響いたのはあの子どもたちのスピーチです。本当に悔しさがにじみ出ていた。

彼女たちの気持ちがわかる。彼女たちは、無償化の裁判に負けたら、また親に学費で負担をかけてしまう。もう終わらせないといけない、そう思っていただろう」

そんな話を静かに、大人たちは聞いてくれた。そしてその終わり、僕の横でおじさんが静かに泣いていた。彼はこう言った。

「君が言っていることは当たってるんだ。僕たちは負け慣れているんだよ。何度も何度も負けている。でも、子どもたちは本気で勝てると思っている。僕らは心の中でどうせまた負けると思いながら闘っているところはある。僕らは負け慣れているんだ」

その気持ちはわかる。僕だって勝つと思って受けたオーディションを30秒で落とされ続けたときは心が折れた。自分を否定されて。でも、それに慣れちゃいけない。

一方で彼らは、お父さん、おじいちゃん、ひいおじいちゃんたちの頃から、ずっと闘って負け続けている。その顔をずっと隣で見ている。彼らも、あの女子生徒のときのような頃があっただろう。でもいつのまにか、そうなっていた。

僕は彼らの話を聞いてわかったことがある。彼らに「おれが現れて写真撮って浮かれてんじゃねえよ」とは怒れない。彼らを、もうゆっくりさせてあげたい。彼らはもう疲れている。

それでも彼らは、子どものために闘う。子どもは親に学費の負担をかけないようにと闘う。自分の学びたいものを学べるのは当たり前の権利。当たり前の権利を守るために彼らは何世代にも渡って闘う。

だから、怒ってほしいが「怒れ」とは言えない。笑ってほしいが「笑ってくれ」とも言えない。あの夜のみんなの顔は笑っていたけど、泣いているようにも見えた。

でも僕はわかったことがある。あなたたちは一本の線だ。在日一世は死んだが、意志は生きている。あなたたちの意志は生き続ける。

僕は、あなたたちにむかつき、嫉妬したんだと思う。怒っているあの生徒は、あなたなんだ。あの生徒があなたたちのように負けることに慣れても、またその子どもがあの生徒のように闘うんだ。

あなたたちは負けない。負け慣れているのはあなただけども、あなたの子どもは負け慣れていない。あなたの子どもはあなたのじいさんたちだ。

声を、怒りを、愛を、リレーのバトンのように繋いでいるんだろう。走り終わったお父さんたちの次に走るのは、子どものあなたたちだろう。

僕はナメクジのようにジリジリ登るために生きてきた。あなたたちを見ていて思う。塩をかけられても溶けないナメクジがいる。おれもナメクジのように生きる。

いつだって、あなたたちに心を動かされている。在日という小さな家族。ちゃんとおれが笑いにして、この無関心な世界をひっくり返してやるから。

生放送でテロを起こす

過去に森喜朗という総理大臣がこんな失言をした。無党派層は「関心ない」と言って寝ていてくれたらいい、と。

無党派層とは僕のことだ。そして、この国で一番数を占める選挙に行かない人たちのことでもある。

彼らがこのまま黙って寝ていてくれたらいい、というのはどういうことか？

それはもう、この国の政治が利権にまみれているということを示している。

大企業や大きな宗教団体が、自分たちが一番稼げるようにしてくれているのは自民党だったりする。だから無党派層、いや無関心層が「こりゃやばい」と目を覚まして投票に行かれたら、いまの政府はひとたまりもない。

このままでいい、無関心な人たちはそのままでいいよ、という発言だ。皮肉にもこの発言は、いま権力の座にいる人たちがどういう人なのかをわかりやすく教えてくれた。

芸能人や著名人が言う「選挙に行こう」は、「いまを変えよう」ということだ。それは反政権でもある。だからいまの政権のままであってほしい人たちはなかなか「選挙に行こう」とは言わない。チェンジを恐れている人たちにとって、選挙は嵐と同じ。ジッと終わるのを待つ。そんな気がする。

だけど僕は、こんな偉そうなことを言っておきながら、選挙に行く意味がわからなかった。それはずっと僕の中で疑問だった。

どうして選挙に行かないといけないのか?

僕はずっと思っていた。自分は何も不満がないのに、まわりの人たちはすぐに「選挙に行け」と言う。

理由を聞くと「大人としての責任」「有権者としての義務」「当然のこと」と言うんだけど、誰も僕の問いに答えていない。当たり前の説明を求めているだけなのに、彼らはずっと「それが当たり前」としか言わない。

僕が生まれた頃から、選挙期間になれば当然のように、テレビでは好きなアニメを中止して選挙特番をやる。だから選挙っていうのは、おれの好きなアニメを邪魔するやつでしかなかった。

大人になり芸人になり、漫才で優勝してテレビに出て、何年かしてニュース番組のMCを任された。

それはABEMA Primeというネット番組で、ほかのゲストも豪華だった。僕が月曜の司会で、火曜は小籔千豊さんとケンドーコバヤシさんが交互に、そのほかの曜日も面白そうな人たちばかりで、Abema TV本気だな、という印象だった。

一番ありがたかったのは、司会の特権でわがままを聞いてくれたことだ。会いたい学者や専門家に会って話を聞けたし、興味のあることはなんでもやらせてもらえた。

そしてある日、選挙の時期だから選挙スペシャルみたいな企画をやると聞いた。

僕は咄嗟に「ここだ!!」と閃(ひらめ)いた。

テロを起こそう、と。

選挙にアニメをジャックされて怒っているあのときのおれのような無関心層がいるんじゃないかと、おれはテロを起こすことを決めた。スタッフにもマネージャーにも一切言わず、おれは生放送で、カメラの向こうに爆弾を投げることを決めた。

そして本番。スタジオが、あーだーこーだー、と選挙について話しているとき、僕は「すいません、僕、選挙に行ったことないんです」と言った。

生放送、しかもニュース番組の司会者がこれを言うとどうなるかは読めていた。ネットニュースにもなるし、必ず叩かれる、炎上し、広まる。

案の定、まわりはざわついた。「どうした急に」とザワザワしだした。

まわりの共演者が「なんで行かないんですか？」と聞いてきたので、行く意味がわかりません、みたいなことを答えたと思う。

「行く意味を教えてください。選挙になぜ行かないとダメなのか、みんなでおれに教えてください」みたいな流れの途中で時間が来て、生放送は終わった。

番組終わりにスタッフのところに行き、この企画をやってください、と提案した。たくさんの有識者たちが、村本に選挙に行く意味を教える企画だ。

その放送は思った通りネットニュースになって広がり、企画が組まれた。ネットニュースになることは、おれと同じ気持ちの人たちへの告知だ。自分の疑問を解決してくれるかもしれない番組があるとわかれば、彼らはそこに誘導され、集まってくる。それこそが、番組への新規視聴者の誘導であり、番組が僕を使う意味だと思っていた。ニュースに関心がある人が見るのは当たり前。それ以外の層にリーチしないと。

その企画が行われるまでの数日間、それはネットニュースの記事になり続けた。コメント欄はオリンピックの聖火のごとく、消えることなく燃え続けた。

それはそうだ。声高らかに、「政治とは社会とは〜。関心を持てー」とツイッターやワイドショーが語っているなか、いきなりニュース番組の司会者が「選挙に行ったことがありません、行く意味わかりません」なんてことを言いだしたら、誰もが腰を抜かす。

僕のことを知らない、そのとき初めて僕を見た視聴者は、ニュース番組の司会として僕を見る。何かしら希望のある正しいコメントを言うだろう、という目で見ている。たとえば、報道ステーションの富川悠太さんが急に「僕、選挙行ったことないんですよー、行く意味わかりません」と言ったらどう思う？

おれのことを芸人とも知らず、新しい報道番組みたいなのが始まったな、という感覚で見ていた年配の人なんかは、目が飛び出るくらい驚いたと思う。

「選挙に行ったことない」というパワーワードは破壊力抜群で、プライベートにも仕事にも影響が出た。

その当時、いつもBARであーだこーだと政治のことや社会のことを語り合う仲のいい女の子がいた。おれのことをすごく信頼してくれていたその子から夜中に電話があって「嘘だと言って!!!」と泣きながら怒られた。友達からも「村本くんがっかりしたよ」と電話があった。

本当のことを言うと、選挙には行ったことがある。でもそれは、当時のバイト先の人たちに「ここに入れて」とお願いされて行ったものだったりするから、到底、清き一票ではない。そんな人は多いと思う。

なんなら行ったフリをしている人も多いだろう。芸能人連中だって、テレビやツイッターでは選挙に行こう、なんて綺麗ごとを言っているけど、彼らが行っていないことも知っている。

ワイドショーなどで一緒になった人たちと話すこともあるけど、行っていないやつも多い。ワイドショーのコメンテーターや司会者で、選挙のときに沈黙しているやつは、たいてい行っていないと睨んでいる。

そもそも普段から政治や社会のことを話し、議論して、その意思表示として選挙に行くのに、普段からその話をタブーにして議論もせず、選挙なんかに行って、誰を選ぶというんだろう。ただの大人の証明くらいの感じで行っているだけだろうと思っている。

しつこいぐらいに燃え続けた炎は、そのときに来ていた仕事も灰にした。そのときのネットニュースを見て、いくつかの仕事がキャンセルになった。新聞の取材とかディベート的な番組だったと思う。

それはそうだろう。選挙に行ったこともなければ、行く意味もわからないなんていうやつの記事や番組なんか、誰も聞かないし見ない。載せたところでクレームもあるだろう。いろんな人たちをがっかりさせたと思う。

でも、すべてはその企画をやるためだ。「何回かは行ったことありますけど、行く意味がわかりません」では爆弾の威力は弱い。「一回も行ったことないし、行く意味もわかりません」のほうが記事にもなりやすいし、燃えやすい。

これは絶対にやる意味がある。僕は知ったふりをして、司会者のふりをして、ニュース番組の出演者を演じたくはない。僕はなぜそれが必要なのかを知りたいから、その仕事を受けたんだ。

僕は番組までの数日で、とにかく〝大人〟の正体を暴くことに時間を費やした。

出会う人出会う人に「選挙に行ってますか？　どうして行くんですか？」と聞いた。タクシーに乗ったら運転手さんに、仕事に行けば芸人に、居酒屋で隣になった人に、聞きまくる。

そして、多くの人はこう言った。

「いや、まあ、投票所が目の前にあるからねー」「まあ習慣かなあ」「嫁が行けって言ってるからね」「地域で応援してる人がいるからかなー」「創価学会なんですよー」……。

その一部始終を隠し撮りする。そして「隠し撮りしてたんですけど、これ番組で使っていいですか？」と言うと、みんながみんな、撮り直してほしいと言ってきて、撮り直すと、言葉が変わる。

「嫁に無理やり行かされてる」と答えたタクシー運転手は「国民としての義務ですよ」と言い換え、「投票所が目の前だからねー」と言った居酒屋で隣になった人は「自分たちの国のことですからね」に言い換え、「創価学会ですからね」と言ったＢＡＲの店主は「公明党は言ってることが正しいからね」に言い換えた。

テーマパークのバックヤードにカメラがいきなり入ってきたら慌てて着ぐるみを着る

キャラクターたちのように、彼らは「大人」「国民」「有権者」の着ぐるみを着だした。やはり着ぐるみを着ていたのか。僕は俄然、番組の企画が楽しみになった。彼らの着ぐるみを脱がせたい。本当の声を聞きたい。

「投票所が近くにあるから」「嫁が無理やり行かせるから」

この声でいいんだ。これが素顔なんだから。

そして番組の収録日になった。企画で集められた社会学者や選挙権のない在日コリアンの人など、多彩な人たちが集められた。

在日の女性はおれに言った。「選挙に行ってください。私たち在日には選挙権がありません。投票ができない私たちの代わりに行ってください」と。

僕は言った。「今回の選挙、誰にどんな理由で入れてほしいんですか？　答えられますか？」と。すると彼女は黙った。

僕は言った。「懇願するわりには、誰が出馬するとか、誰がどんな公約を持っているか、わかってないじゃないですか」

学者たちも、権利や義務という言葉、飾り物の言葉だけを使って、その意味を深くは話してくれない。ずっと話を逸らされているような気分だった。

結局誰も、本当の意味での理由を教えてくれなかった。彼らが教えてくれたのは「誰も答えを持っていない」ということだけだった。

最後には学者の人が「好きにすればいい」と言ってくれた。彼は「これは諦めではなく本音です」と。彼、いや彼らは、番組に僕を説得するようお願いされてこの収録に来た。その役回りでここに来た。だから頑張って説得する言葉を探して伝えたけど、本音は好きにしたらいいと思っています、と言われた。

僕はこの言葉が一番ストンと心に落ちた。彼が、番組が用意した着ぐるみを脱いで素顔を見せてくれた。「好きにしたらいい」というのが彼の素顔だ。


大人なら選挙に関心を持て、投票に行け、と責任を求めるなら、同じように「在日朝鮮人に関心を持て、沖縄の辺野古に関心を持て、原発に関心を持て、僕たちの社会だぞ」と言える。

でも、どちらもファッションに関心を持っても、本当の意味で関心は持てない。

選挙も社会問題も、大人のファッション的に関心を持ってでは（※）ない。

ネットは白か黒だが、現場は限りなくグレーを見せてくれる

原発のネタを笑う人がいれば怒る人もいる。沖縄の基地だってそうだ。「言えないよ」と「言ってくれ」と「言わせるな」が、いつもバチバチ喧嘩している。

沖縄でタクシーに乗ったとき、運転手のおじさんに「いつも基地のことを発信してくれてありがとうね」と言われた。そのおじさんは、基地がいかに酷いかを怒りながら僕に話してきた。

「高江ではねー、琉球とはそもそもね、暴動が起きたことがあってね……」と話してきたので、僕が何の気なしに「生々しくてとてもいいですね。お父さん、動画撮っていいですか？　これ発信しましょう」と言ったら、おじさんは驚き、「絶対ダメだよ！！！」と言った。

「なんでですか？」と聞くと「炎上するもん」と言ってきた。「僕もしますよ」と言うと「わたしは慣れてない」と言うので「僕だって慣れてない」と言った。そこでおじさんは本

音を言ってくれた。

「息子とか親戚が基地で働いているからだよ」と。いくら沖縄が玉城デニー知事を選び、民意の多くは基地反対だといっても、自分のいるコミュニティがその意見と違ったら、その意見は間違っていると言われる。逆も然り。

全国区のテレビでその漫才をやって、僕の意見を笑いで発言するということも、同じ意見の人たちにとっては追い風となるが、違う意見の人たちには逆風となる。


それでいうと、原発の街、福井県おおい町出身の僕の原発ネタは、原発の街をピリつかせる。原発の街で原発に反対するというのは、太平洋のど真ん中でビート板に掴まったカナヅチの人のビート板をガッと掴むようなものだ。それぐらい、原発の街を不安にさせる。

原発の街、福井県敦賀市ではこんな事件もあった。敦賀のタクシー会社が原発反対の自民党議員を乗車拒否したのだ。タクシー会社も原発の作業員を乗せ、恩恵を受けている。だからその議員を乗車拒否した。

それに対して敦賀市長は会見で、「商売だからと何でもするのではなく、ポリシーを持って対応したのだと思う」「上手に断ってほしい」と乗車拒否を擁護した。乗車拒否した人を擁護する市長。原発はそれほどまでに街に必要なものだった。

小泉純一郎元総理も反原発で全国で講演しているけれど、なかなか原発の街ではやらない。

おれは彼が原発の街のど真ん中で、原発に賛成する人たちの前でその講演をやったら、そのときは彼に「痛みに耐えてよく頑張った」と言ってあげたい。

そんな原発の街の地元を、僕はネタにした。

「僕の地元は福井県のおおい町、おおい町には大飯原発があり、隣は高浜町、高浜原発、その隣は美浜町、美浜原発、隣は敦賀のもんじゅがあった。小さな地域に原発が４ヶ所もある、でもおおい町には夜の19時以降に開いている店がほとんどない。19時を過ぎれば、街が真っ暗になる。これだけは叫ばせてくれ！　電気はどこへいく！！！」という漫才をした。

後日、福井の地元に帰って近くの寿司屋でご飯を食べていると、地元の大きな会社の社長が来た。

彼は僕のところに来て「あれは面白いね。でもああいうネタはよくないかもしれない。よく思わない人たちもいる。原発のネタはやめて、もっと普通のネタをしたほうがいいと思うよ」と言ってきた。

「わたしたちのビート板を触っちゃダメよ」ということだろう。

だからといって、僕は原発反対でもないし、賛成でもない。

東京でのライブ後に声をかけてきた人が反原発だと言うので、「僕の地元はそれで経済が回っているから地元の生活が心配ですよ」と言ったこともある。

するとその人は、「原発がないとやっていけない街はその街が悪い。それに頼っていたんだから自業自得」「受け入れて、それで潤っていたんだから自業自得」と言った。

地元の人間の人生も一回きり。有名な観光地でもなく、これといって潤う理由がない街は〝原発は安全〟と国から言われるままに信じ、金を積まれて受け入れた。東京と違って、僕らの街は原発がなくてもやっていけるような街ではない。

僕が漫才で言いたいのは、怪獣も、ウルトラマンも、同じように家を踏んづけているということだ。そして、ウルトラマンも怪獣もこう言う。

「踏まれて潰れるような家が悪い」と。

最近、福島の原発に行った。

たまたま以前、福島の屋台で飲んでいるときにいたおじさんが経産省の偉いさんで、原発から出た処理水を福島の海に流すかどうかを決められるくらい偉い人だった。彼が一度、原発を見に来てほしいと言ってきた。

10年前の原発事故のとき、日本ではあれだけ「原発怖い」「やばい」となっていたのに、たった10年でその緊張感も薄れ、そのタイミングを見計らって、どさくさに紛れて再稼働していっている。

原発は、不祥事を起こした芸人が復帰をするかのように、どさくさにまぎれて、再稼働する。吉本でも、チュートリアル徳井原発が再稼働した。宮迫原発は廃炉になったが、自然エネルギーの蛍原発電でなんとかもっている。ロンドンブーツの亮さんも事故を起こしたから僕はロンドンブーツのことを、1号機、2号機と呼ぶことにしている。

原発の怖さはニュースでもやらなくなり、当時、反原発で活動していた芸能人たちも少数以外は静まり返った。だから僕は、自分の目で見に行くことにした。

コロナで金もないのに、完全プライベートなので自腹で東京から新幹線に乗った。福島駅からは車で2時間ほどだった。

原発の中に入るときには、いま自分の中にどれくらいの放射能があるかを、1分ほど椅子に座らされて測られる。そのあと、入り口で靴下を3枚ほど履く。そしてベストみたいなものを着せられて、手袋をまた2枚ほど着けさせられる。そして帽子をかぶり、中に入る。

敷地内は車で回る。原発の敷地内はディズニーランド三個半分の広さらしく、その中をこの車で移動する。

車にはナンバープレートがなかった。理由を聞くと事故のときに放射能を浴びて、外には持ち出せないからだという。

車の中のシートにはビニールが貼ってあり、直に触れられないようになっていた。外には持ち出せないから、敷地内の移動用に使っていて、ガソリンスタンドも敷地の中にある。

外を見ると、大きな丸いタンクが山のようにあった。1つ1億円らしく、週に1個の割合でできているという。海に処理水を流せないから、それを貯め続けるためにタンクをつくり続けるのだと。

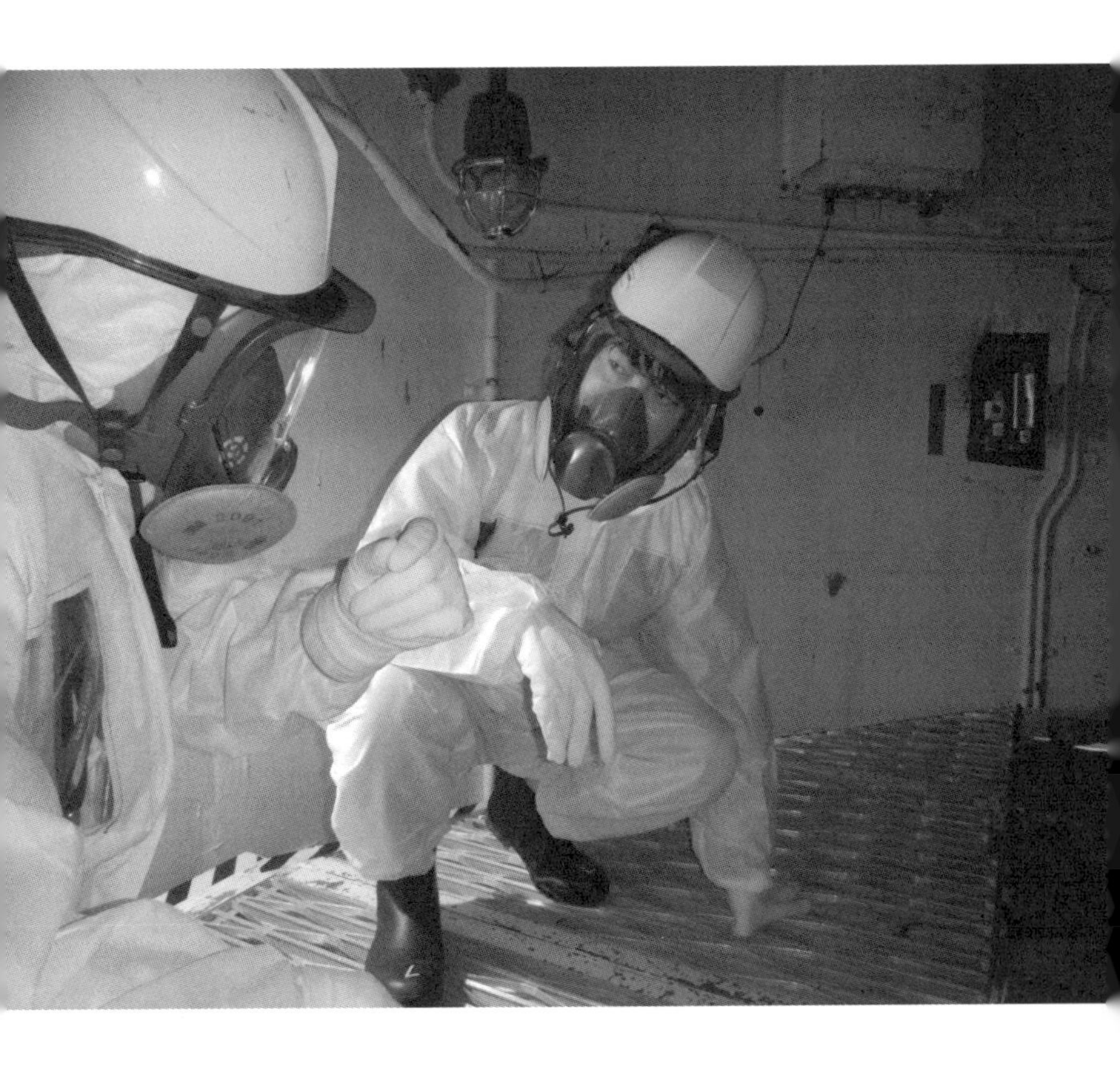

これを誰かに聞いたり、ニュースで見たりすると、おそらく「そうなんだー」「靴下を履き替えるとかめんどくさそう」とか思うだろう。「放射能を測るとか怖そう」とか。

それが、実際に行くと「めんどくさい」になる。「怖い」になる。〝そう〟が抜けて自分の感情になる。

ネットではその情報しか教えてくれない。自分で行くと、途中の福島の大自然の中を車で走り、なんて素晴らしい場所なんだろう、とも思う。

屋台で、経産省の彼とも話した。彼は「地元のいろんな声を聞き続けて、自分の立ち位置がわからなくなる」と言っていた。彼の話を、屋台の人から聞いたら、「本来は東京に戻って出世している人なんだけど、『福島の原発が廃炉になるまで見届けたい。福島で死ぬ』と言って、事故のあとも地元に残り続けている人だ」と言っていた。

こうやって屋台で飲み、いろんな人を原発に連れて行き感じさせてくれる彼は、おれには老けたおっさん版ティンカーベルに見えた。

「次は処理水を流すのに反対している漁師さんと話したいから一緒に行こう」と言ったら、そのティンカーベルは顔を白くさせながら「ど、どこへだって行きますよ」と少しびびっていた。

原発には気軽に行けるティンカーベルは、怒っている漁師さんのことをフック船長とでも思っているのだろうか。でも彼は、一緒に行くと約束してくれた。

こうして様々なことを感じられるのが現場に行く意味だ。福島原発の帰りの景色は、行きとは違って見えた。

吉本のある師匠が、いつかシリコンバレーに吉本の劇場をつくりたいと言っていた。おそらく冗談だと思うが、ハイテクな場所にアナログを、と言っていたのが忘れられない。

おれはアナログという歪(いびつ)なものが、綺麗な歯車を少し狂わせ、その歯車が軋(きし)む音は、僕らに考える力を生むと思っている。

いまは情報が溢れかえり、どんどん頭の中の本棚に本を入れていける時代だ。ネットでも、様々な情報がわかりやすく噛み砕かれ、絵本のように紹介されていて、また頭の中に本ができる。とても合理的で、賢くなりやすい時代だ。

でもどうだろう。たとえばおれとあなたが福島に行き、福島の漁師さんに処理水の話を聞いたとしたら、僕には漁師さんが怒っているように見えても、あなたには悲しんでいるように見えるかもしれない。

あなたは誰かの本を読み、その物語を自分の物語のように、自分の頭の本棚に入れて、知った気になっているだけだ。それはとてももったいないと思う。僕のこの本や、誰かの本を読んだとしても、それは、村本には、その誰かにはそう見えた、だけでしかない。

あなたが福島の原発に行ったら、その景色もおれとは違って見えるだろう。僕には僕の目線、あなたにはあなたの目線。心の動くものも様々。僕は「わたしも感じたい」というきっかけでしかない。

ネットで調べて情報を知ることはできるけど、そんなインスタントなものでは、心は動いたふりしかしない。

怖いのはインスタントしか知らなくなり、インスタントでもいい、と思えることだ。受け売り人間の目はロボットに近い。自らの目で見て心を動かし、涙するような気持ちになる。それが、感じるという大事な人間の工程だ。

行くと心がとにかく揺れ動き、僕たちは合理的とは程遠い、複雑なことを実感する。

まあ、難しいことはいいや。

とにかく、朝鮮学校、沖縄、福島、その現場に行くとそのあとの漫才がすごくウケる。
本気でそれで笑わそうとしているのが伝わるんだろうか。
どこでもいい、現場に行くと心がぐちゃぐちゃになる。
ぜひ、僕のライブの現場にも……てへ。笑

あのときの悲劇はこの先の喜劇に

あるテレビ局から、アメリカでのスタンドアップコメディへの挑戦を1ヶ月間密着したいと言われた。そのためにビザを取りに行く直前、僕がツイッターで「大麻を合法化したほうがいい」と発言し、その仕事はキャンセルとなった。

1ヶ月仕事がなくなった僕は、とりあえず一人でアメリカに行こうと思い、1ヶ月間、LA、テキサス、ニューヨークを旅してきた。

テキサスでは、オースティンという街の語学学校に通って寮で生活をした。

授業は昼の2時から5時までの3時間、先生と二人きりのマンツーマンだった。だいたい午前中はネタを書き、それを友達に英語にしてもらい、昼に学校に行って先生にネタの発音を教えてもらった。特に芸人は教科書に載っていないスラング英語を使うらしく、先生から「やばい」とか「ちょー」みたいなスラングをたくさん教えてもらった。

ある日、先生から「せっかくだからほかのクラスに乗り込んでネタを試せばいい、これも練習だ!」と言われ、断れずに20人ぐらいのクラスで飛び込みでネタをやった。

しかし、相手も外国から語学を学びに来た生徒ばかりだから、特にスラングがまったく通じず、ひとつひとつのネタを最後に先生が説明してくれ、「あー」とか「へー」みたいな芸人としては恥ずかしすぎる空気になった。

テキサス州オースティンには、お笑いをやれる場所がたくさんある。だいたいBARの奥にステージ付きの客席があり、腕試しをしたいミュージシャンや芸人たちが歌やネタを試している。

BARはほぼ赤字らしいけど、街全体にアーティストの表現の場をなくしてはいけないという風潮があり、それを残し続けている。

僕はテキサスにいる間、誰でも飛び込みでネタができるオープンマイクに何度も挑戦させてもらった。朝にネタをつくり、昼に先生と発音などの練習をする。そして学校終わりにそこに行って、地元の芸人にまじってネタを試す。そんな毎日。

ある夜、オースティンの街を散歩していたら、笑い声が聞こえてきた。行ってみると芸人たちがBARのテラス席の野外ステージでスタンドアップコメディをやっていた。

彼らを観ていたら、なんだか自分のネタがどこまで通用するのか試したくなって、司会者に「おれも出してくれ」と声をかけた。

「今日は無理だ、また今度な」と言われたが、片言の英語で「お願いします」と食い下がり、ネタ帳にあったネタをひとつ聞かせた。すると笑ってくれて「じゃあ5分だけね」と言われ、特別に出番をもらった。

緊張でウケたかどうかは覚えていないけど、終わったあとに主催者が来て「最高だったよ、ちなみに金曜は空いてる？　もっとたくさんのお客さんが来るから、よかったらそこにも出ないか？」と声をかけてくれた。そして金曜のショーに出演した。お客さんもたくさん。すごく笑ってもらえた。

「君のショーを見たよ」と街なかで声もかけられた。「この間のショー、最高だったよ。インスタはやってない？　教えてよ」と言われてインスタも交換した。「ツイッターは？」とも聞かれたが、ツイッターは悪口がたくさん書いてあり、翻訳されたら気まずいのでやってないと嘘をついた。

こうしてオースティンでは、ネタを通してたくさんの友達ができた。とても濃い、オースティンでの生活を2週間過ごした。

そのあと僕はニューヨークに行った。1年ほど前にマンハッタンのオープンマイクでネタをやり、めちゃくちゃすべって、泣きながら夜中に一人で帰ったトラウマのある場所だ。そのニューヨークで、今度こそ笑いをとりたかった。思い出を塗り替えるために、オースティンで試したネタをたくさん用意して、いろんな劇場のオープンマイクに飛び込んだ。

ニューヨークのお客さんは、世界で一番笑いに厳しいとされている。そんなニューヨークには、多くの有名コメディアンたちを世に送り出した伝説の劇場がある。世界中のスタンドアップコメディアンの憧れの場所らしく、アメリカのトップ中のトップのコメディアンしか出演できない。劇場のナンバー1、2の芸人2組の推薦がないとオーディションすら受けさせてもらえないらしい。

たまたまその劇場から徒歩2、3分のところにあるＢＡＲのオープンマイクに出られることになったので、せっかくだからその劇場の前を通ってみた。すると当日券は完売していて、キャンセル待ちの長蛇の列までできていた。

開場し、お客さんがみんな劇場に入ったとき、それを見計らったかのように関係者口からある芸人が出てきた。その人は、僕が普段インターネットの動画で観ている芸人だった。

タイムスケジュールに彼の名前はない。アメリカの劇場では、芸人が全国ツアー前やテレビでネタをやる前に飛び込みで出演してネタを試すというから、それでいたのかもしれない。

彼に僕のネタを聞いてほしかったけど、勇気が出ず、自分の出演するBARに向かった。

そこは、店の奥にステージがある、50席ほどの小さなBARだ。さっきの劇場とは違いガラガラ。客といっても出演者の芸人が10人ほど。入った瞬間の突き刺さるような目線。日本人は僕ひとり。なんだこいつ、という視線。前にニューヨークですべりまくったときと同じ状況だ。

そして、僕の順番が来た。すると、我ながらなかなか盛り上がり、終わったあとに、たくさんの芸人が「よかったよ!」と声をかけてくれた。すごく嬉しかった。

前回のトラウマから抜け出すことに成功し、喜びを抑えきれなくなって変なテンションになった僕は、そのままそのＢＡＲを抜け出して、さっきの劇場に走り出した。このネタをあの売れっ子芸人に聞かせようと。

もちろん、あれからだいぶ時間は経っている。いるわけもない。しかし、いるわけがないから行かないんじゃなく、行くということをやりたい。結果ではなく行動をしたい。

結局その芸人はいなかったけど、出番を終えた出演者の芸人がたまたま劇場の外にタバコを吸いに出てきていた。

彼もその劇場で出番をもらっている実力者だ。おれは彼に片言の英語で「おれは芸人だ、ネタを聞いてほしい」と持ちかけた。

すると彼は、なんかやばいやつが声をかけてきた、というようなひきまくった顔をして劇場の楽屋に戻ろうとした。気持ちはわかる。おれも日本でたまに変なやつが声をかけてくるけど、同じ顔になる。

しかしそんなのは諦める理由にならない。おれのネタの感想が知りたい。ニューヨークのトップのメンバーの彼らがどんなリアクションをするのかを見たい。

だから、無理やりネタ帳を渡した。おれの押しに負けたのか、彼は「……1つだけね」と明らかに顔をひきつらせながらネタを読んでくれた。

しばらく無言になったあと、「ほかには？」と聞いてくれた。僕は、「あとはこれとこれと……」と言って何個か見せた。中には声を出して笑ってくれたものもあった。すごくうれしかった。

その瞬間、下の劇場から大きな歓声が聞こえてきた。

僕は思った。さっきの芸人がサプライズで登場したんだと。一目、生で観たくて、僕はネタを聞いてくれた芸人にお礼を言い、急いで劇場の階段を駆け降りた。

受付の人からは、「もうこの回はソールドアウトしたよ。次は2時間後だから、そのチケットのキャンセル待ちをしてくれ」と言われた。でも、おそらく次の回に彼は出ない。

「僕は日本から来た芸人だ」と言って受付の人にもネタ帳を見せ、ジョークを聞かせた。すると彼は耳元で「特別ね」と言って中に入れてくれた。舞台では、その芸人がスタンドアップコメディでめちゃくちゃ笑いをとっていた。

ライブ終わり、悔しさと憧れが入り混じった気持ちで、劇場から出てくる観客を待ち伏せし、「日本から来た芸人だ。ネタを聞いてくれ。ここに出ている芸人とどっちが面白いか教えてほしい」と言ってネタを聞いてもらった。

「ここにもピンキリでいろんな芸人が出ている。ちょうど、真ん中ぐらいかな」と言われた。悔しくて、でもうれしくて、なんだかその時間がすごく楽しかった。

自分がつくった笑いは、パスポートのようにあっちこっちに連れていってくれる。勉強もスポーツもできず、たいして面白くない僕を、このパスポートは日本一の漫才を決める大会の頂点に連れていってくれ、テレビの中に連れていってくれ、大好きなテレビスターの目の前に連れていってくれ、さらには可愛い女の子とのベッドの中にまで連れていってくれた。

そして今回、そのパスポートはアメリカで見たことのない景色に連れていってくれた。そんなことを実感した1ヶ月だった。

アメリカでやったネタはいろいろあるけど、一番盛り上がったのは「日本で大麻を合法化したほうがいいと発言したら、仕事をクビになった。1ヶ月無職。発言だけで。それが日本だ。おい日本人、お前ら一度、大麻吸ってリラックスしろ」というネタだ。

正直、仕事がなくなったときは、テレビ局の名前も出してＳＮＳにそのことを書いてやろうと思った。

だけど踏みとどまった。それはおれのやることじゃない、と。自分の場所で自分のやり方でじゃなきゃ、おれがおれでなくなる。

そのネタは、ほかのどのネタとも違い、おれの片言の英語を飛び越えて、表情、言葉の温度がリアルな空気をつくり、その空気は客席を巻き込み、ネタをしているという空気は、怒りをコメディにして本気で叫んでいるという空気になり、客席が爆発するように盛り上がった。

だけど多分、このネタは１ヶ月後にはもうウケない。このネタは「おれがいま言いたい」という気持ちがあるから、いまウケるんだ。

不思議なもので、それは絶対にお客さんに伝わる。今回はＳＮＳでも言わず、舞台の上まで我慢し続けた分、より強く表現できた。

ユダヤ人の芸人がアウシュビッツをネタにする。彼は「悲劇と喜劇はルームメイトだ」と言っていた。悲しいことは笑えることでもある、と。

アメリカでは、黒人の芸人が人種差別されたことを笑いにしていた。女性の芸人は男事をネタにした。

に暴力を振るわれたことをネタにしていた。そして僕は1ヶ月前に起きたまさかの出来事をネタにした。

その密着取材は、3年前からテレビの仕事に興味を感じなくなり、舞台上の表現に興味を持つようになった僕が、いま何をやっているか、何をやりたいかを親に見せるいい機会になるはずの番組だった。だからそれがなくなったことは僕には悲劇だった。

しかしその悲劇は大きな喜びになった。その喜びは喜劇だと思えた。黒だらけのオセロがひっくり返っていく、そんな瞬間を見た気がした。

人はいつ死ぬかわからない。まだまだ乗りたいアトラクションがある。だからアメリカで過ごした1ヶ月はテーマパークの中を走りまわっているようだった。毎日、考え、表現し、ウケたりすべったり喜んだり悲しんだり。

テキサスのオープンマイクで初めて笑いをとった夜は、街外れの劇場から学校の寮まで、真夜中のオースティンの街を60分歩いて帰った。途中、急にやってくる喜びの感情に「おぉぉ！」と声を漏らしながら。

真夜中の誰もいない寝静まったオースティンの街。そこはもう自分の世界。そこを歩き、時には軽くスキップをする。気分はもう劇場から寮の部屋までのウイニングランのようだった。

大麻発言は仕事をなくしたけど、おれが仕事で見る予定だった景色以上のものを見せてくれた。

あのときの悲劇は、この先の喜劇に。あのときの実感は、その次の実感に。

これらすべての実感を再構築し、笑いに仕上げて漫才や独演会という自分の場所へ。

ウルトラマンも自分の足元を見ろ

ただでさえ仲の悪い日本と韓国の関係が、より一層悪くなってきている。ネットを開けば韓国の悪口をやたら見かける。日本を否定するようなことを発言すれば「お前は朝鮮人だろ」と言われる。

以前、韓国で日本人の女の子が韓国人の男に暴行されたというニュースが流れた。いま韓国に行くと危険だ、という風潮まで広がり、日韓ともにお互いの観光客が激減した。

僕はそんなとき、常日頃ウルトラマンと怪獣が戦っているその足元にいる人たちが気になる。大きなものがぶつかり合うときに、足元で被害にあっている人たちだ。

たとえば原発賛成反対のバトルは、地元の街を犠牲にする。福島の事故があり、福井の大飯原発は1年4ヶ月稼働停止になった。原発の作業員を迎え入れていた旅館や食堂は、その間、収入がなくなる。経営難に陥った店も出たという。

最近では、同じ福井県の高浜町の元助役が関西電力の社長らに3億円を超える金品を渡していたことが発覚し、メディアで「原発の街の深い闇」というふうに取り上げられた。
街ではたくさんの記者が原発の関係者に取材し、彼らが訪れる地元の居酒屋にも張っているせいで、原発関係者たちがなかなか飲みに出ることができず、飲食店の売上もガッと落ちたらしい。

韓国と日本の喧嘩も、互いの政治家たちがやり合い、互いの右翼たちが「そうだそうだ」と煽りまくる。数字が取れるからメディアも同調する。

これもウルトラマンと怪獣の戦いだ。その足元で踏み潰されている人たちは、たとえば日韓の互いの観光客で商売している人たちだ。彼らはそのとき、売上がなくなり、生活が大変だったと聞く。

日本に住む在日朝鮮人や、韓国に住む在韓の日本人たちもそうだ。彼らも差別され、住みにくくなる。在日朝鮮人は、ルーツが朝鮮なだけで生まれは日本だ。韓国に帰れと言われても韓国語も話せない。

ウルトラマンと怪獣が戦うときに足元にいる人たちは、なかなかメディアでも取り上げられない。テレビのコメンテーターたちは、ウルトラマンや怪獣の行動ばかりを分析してお茶の間に解説する。でも、犠牲は取り上げない。

日本と韓国の喧嘩を見ていて思うのが、日本のコメンテーターや大人たちはいつも日本政府の発表、日本のメディアから流れてきたニュースばかりを信じるということだ。

最近、仲良くなった女の子がこんなことを話していた。

「わたしはお母さんと仲良しで、お父さんとはあまり口をきかない。いつもお母さんからお父さんの嫌なことばかりを聞くから、お父さんが少し嫌いになってきている。でもよく考えたらお父さんからはその話を聞いてない」

日本人は、北朝鮮や韓国のことを日本のニュースでしか聞いていない。いま日本人が韓国に行けば危険なんだよ、とは言われるけど、そう言えば自分では確認していない。

「らしいよ」は聞くけど、それはその女友達でいうところの、お母さんからの話ばかりだ。


だから僕は、日韓の状況が悪いさなか韓国に行くことにした。

でも、「韓国に行く」とSNSに書いたら叩かれた。「お前はどっちの国の人間だ」「行かなくていい」などと言われた。

よく日本のアイドルの子たちが、「いま韓国の音楽がブームだけど、SNSで韓国が好きだと言えない雰囲気がある」というのを聞いたことがある。これがまさにそれか、と実感した。

そしてわかったことは「韓国が危なかろうが安全だろうが、韓国に日本人を行かせたくない人たちがいる」ということ。さらに言うと、韓国を好きだという発言を「おれたちの邪魔をするな」と思う人たちがいるということ。個人の自由を、自分の偏った思想で邪魔してくるやつらがいる、ということだ。


これを書いていて、子どもの頃の話を思い出した。あれは小学校4年か5年生くらいのときだった。うちのクラスの人気者のAくんが隣のクラスのBくんと喧嘩をしたらしく、Aくんは自分のクラスの仲間に「Bくんにあんなことされた、こんなことされた」と言って回っていた。

普段から性格も良くクラスのリーダー的存在で、信頼あるAくんの話を疑うものはいなかった。すぐにクラス中に「Bくんて、最低らしいよ」という噂が広まった。

僕は実際にAくんとBくんが喧嘩しているところは見ておらず、クラスメイトからの話を又聞きしただけだったので「そうなんだ、おれは見てないから何とも言えないけど」と話すと、Aくんのまわりの同級生から「Aくんが嘘をついてると言うのか！」と怒鳴られた。

子どものときから、自分が強く信じているものを疑われると不安になり、それが恐怖となって、怒りに変わる人たちが一定数いる。おれの女友達でいうところの「お母さんから聞くお父さんの話」、日本人で韓国を批判する人たちからすると「信じている人から学んだ歴史」や「信じている新聞やニュース」だ。

隣のクラスのBくんはBくんで、自分のクラスにAくんにこんなことされたと広めた。Bくんもクラスの人気者だったから、すぐにその話は広まり、いつしかうちのクラスとBくんのクラスでちょっとしたいざこざが起きた。

廊下ですれ違っても無視。それどころか、うちのクラスの生徒が隣のクラスの前を通ると消しゴムのカスを投げつけられることもあったらしい。クラスの中心のAくんとそのまわりのメンバー、Bくんとそのまわりのメンバーはどんどん険悪になっていった。

僕は通学路がBくんと同じだったので、Bくんサイドからも喧嘩の真相を聞いていた。しかしそれは、お互いが自分たちの都合のいいことを、自分都合に話していた。それをクラスメイトに話すと「お前はどっちの味方なんだよ」と怒られた。

事実より、どっちの味方かが気になる彼らのことが不思議だった。毎日のようにうちた。

のクラスの生徒は「隣のクラスの生徒に睨まれた！」とブチ切れながら教室で騒いでい

ある日、僕がBくんのクラスメイトと一緒に帰るところを誰かに見られ、翌日学校で「なんであいつらと一緒に帰った？」「スパイじゃないのか」「あっちのクラスに行け」「お前はどっちの味方なんだ」と責められた。

おれは正直どっちの味方でもないので、「いや、おれ睨まれたこともないし、隣のクラスで仲良いやつもいるから。いいやつもたくさんいるよ」と話すと、「なんでクラスのみんなを敵に回すようなことを言うの？」と言われた。

長く続いたその喧嘩は、ある日、突然終わりを迎えた。

うちのクラスメイトが隣のクラスの生徒の足を廊下で引っ掛け、その1週間後に隣のクラスの生徒がうちのクラスの育てているヒマワリを倒した。

先生が2人に理由を聞くと、2人とも、「先にやってきたのはこいつら」「いや、お前らが先やん」「いやいやお前らやん」と続き、とうとう学年主任の先生の怒りが限界を迎え、廊下に響く声でこう叫んだ。

「お前ら小学生か！！！」

あたりは静まり返り、その場にいた冷静な生徒が「はい」と答え、先生はその瞬間に自分のミスに気づき、顔を真っ赤にした。生徒たちは皆、下を向き必死に笑いをこらえた。先生のミスからAくんとBくんも爆笑し、喧嘩なんかどうでもよくなった。

しかし、その後も僕を「スパイ」というあだ名で呼ぶやつがいた。それを利用して、中学の修学旅行のバスのカラオケで、槇原敬之のスパイを歌って爆笑をとったのを覚えている。

いま、あのときの小学生たちのように「韓国に行くのは危ないらしいよ」「友達が韓国で危険な目にあったから行かないほうがいいらしいよ」「韓国好きだった友達が、もう韓国は嫌だって帰ってきたらしいよ」と言う人たちがいる。

僕はあのときと同じように、いまだからこそクラスメイトたちの言葉を信じるのではなく、自分で韓国を見てみたい。

韓国が危ない国だとか、日本人が嫌いだとか、そんなことよりも「僕自身が何を考えるのか」が知りたい。

その収穫は十分にあった。ソウルの街なかを歩いていると後ろから肩をぶつけられた。僕が日本人だからか、日本語を話している声を聞かれたからか、日本嫌いの韓国人がおれの肩にぶつかってきた、とゾッとした。

そのぶつかった40歳ぐらいの男性はクルッとこっちを振り返り「すいません」と日本語で話し、「あ、村本さん！」と声をかけてきた。旅行で遊びに来ている日本人だった。

僕は考えた。もし彼が謝らなかったら、僕は彼を韓国人だと思って、日本でそのことを話していたかもしれない。僕は、「日本人は嫌われているのでは？」とうっすらドキドキしながら歩いていた。バイアスをかけながら韓国を歩く自分に気づけた。

韓国で独演会をやることになり、独演会ついでに韓国を知りたいと、日本人の僕のファンという人たちも韓国に来ていた。

その子はタクシーで日本人だと気づかれたが、運転手は日本の歌謡曲を流してくれ、「日本大好きよ、こんなときに来てくれてありがとう」と言ってくれたらしい。韓国に来る前に、ツイッターで「タクシーで日本人とバレて怖い目にあった」というツイートがバズっていたが、まったく逆の経験ができたと。

駅で僕と後輩が迷っていたときも、韓国人のおじさんが飛んできてチケットの買い方から乗り場の案内までしてくれ、最後に大きく手を振って見送ってくれた。

一方で、街の中には「日本人は出て行け」というたぐいのポスターもあった。韓国で知り合った女の子によると、韓国の田舎で、一緒にいた友達が日本人だからとおばあさんにツバをかけられたとも言っていた。

沖縄で戦争を経験したお年寄りが、アメリカ人にツバを吐いたという話も聞いたことがある。彼らを責められない。彼らは歴史の被害者だ。人種で殺し合いをしていたときを知っている人たちだ。

僕が韓国に行って思ったことは、「そう僕は感じた」ということだ。韓国の人は日本人のことを好きだと感じたし、嫌いだとも感じた。歴史のせいだとも感じた。僕はそう感じた。それだけでしかない話。

大人になってから同級生と一度飲んだときに、あの頃に喧嘩していた隣のクラスのやつも呼んだ。

お互いの話は「そう感じていた」だけだった。彼はあのとき睨んでないと言っていた。

そして友達は睨まれたように感じたと言っていた。

そう感じる、のは事実ではない。それを彼らに話すと返す刀で「それでいうと大輔がカラオケで歌っていた槇原敬之、そんなまわりにウケてなかったで」と言われた。僕もそう感じていただけだった。

日本と韓国で「危ないらしいよ」の空気をつくるやつ。彼らは「らしいよ」をふりまき、「らしいよ」を感染させる。

韓国で韓国人の彼氏を持つ日本人女性と話したが、いまの日韓の状況を見て彼らの両親は結婚に反対していると言っていた。

誰かの「韓国、危ないらしいよ」は、こんなカップルの運命さえも変えようとしている。ウルトラマンと怪獣の足元で犠牲になる日韓のカップルの痛みを無視する大人たちに、いまこそ小学校の先生に出てきて言ってもらいたい。「お前ら小学生か！」と。

被災者は声を隠す

僕はよく被災地に行く。被災した人たちと話したくて。

ある被災地に行ったときの話だ。地元の人たちと一緒に飲ませてもらう機会があった。

おれは彼らに「何か不安はある?」と聞いた。

すると「ありません。やってもらえるだけありがたい」と言われた。

おれは思った。そんなわけない、と。

被災地を回っていつも感じるのが、「やってもらえるだけありがたい」と言わないといけない空気だ。

被災地の炊き出しには、ラーメンとか牛丼とか、そんなパワーフードばかりが出るんだけど、なかにはサラダを食べたい人やヴィーガンの人もいるだろう。彼らが「野菜を食べたい」としごく当たり前のことを言いにくい状況に疑問があった。

なぜなら、地震は誰のせいでもないからだ。明日、そうじゃない人たちの住むところにも地震が起こり、被災する可能性がある。だから、地震があったら倍幸せになってほしいと思っている。

日本政府は地震手当をやったらいい。オリンピックとか戦争の道具に高い金をかけるのにも理由があるんだろう。でも僕は、地震があったら最悪だけどラッキーって思えるような国になってほしい。なぜなら、この国はどこよりも地震が多い国なんだから。


僕は被災者の本音が聞きたかった。だから、聞き続けた。「何か不満はありますか？」と。それでも彼らは続ける。「やってもらえるだけありがたい」と。

僕は彼らにきつめの酒を飲ませた。そして聞き続けた。

「本当は？　本当は？」

彼らもお酒が回ってきたのか、しばらくしておれの尋問に白状することにしたようだ。

「じゃあ！　言わせてくださいよ‼　ぶっちゃけ言いますよ‼　最近、みんなでこんな救援物資は嫌だというランキングを付けているんですよ！！！」

おれは「よっしゃー！！！！！」と叫んだ。それが欲しかったのよ。

おれの勘は当たった。人間はそのポジションで話をする。大人というポジション、学校の先生というポジション、右派左派のポジション……そんな話にはなんの面白味もない。おれは被災者というポジションで話していた彼らの本音が聞けた。これは〝被災者〟の本音ではなく〝彼ら〟の本音だ。

おれは彼らから、たくさんの「こんな救援物資は嫌だ」を聞いた。これをおれは漫才にして、舞台の上に持っていってたくさんの人たちに広めると約束した。

彼らからは言えない、彼らが言えば叩かれるから。だから「村本さん言ってくれ」と言っていた。彼らはコミュニティの中に属して生きている。被災者全員がそう思われてしまう可能性がある。だから彼らは言えない。

それならここは、テレビには出ていないのに『日経エンタテインメント』の嫌いな芸人ランキング3位のおれが言ってやろう。叩かれ慣れているおれが言ってやろう。ここに書かせてくれ。

まず「千羽鶴はいらない!!!」と言っていた。一人からなら千羽、2人からなら二千、全国各地から何万羽の鶴がここに来る。

どこにこの鶴を置いたらいいんだ。捨てられないし、置いとけないし、ありがたいけど大変なときにめちゃくちゃ仕事が増えるから、まじで勘弁してほしいと。

あと外国で買った薬。これは怖くて飲めない。外国で買ったレトルト食品もだ。アレルギーがある人は、成分表示を見てもどれがアレルギーかわからない。

あとはたくさんのタオル。タオルは足りすぎていて、トラックから下ろすだけで丸一日が過ぎる。古着の下着もいらない。穿きたくない。アフリカとかとは違い、昨日まで新しいものを着ていたからだ。

いらなくなった家電なんてもっといらない。ブラウン管のものとか、捨てるのに金がかかるから送ってくるやつもいる。

ほかにも、結婚式でもらった引き出物の皿。知らない新郎新婦の写真が貼られた皿だ。被災地が一番大変なときに、人の幸せな写真を見ながら飯を食うのは拷問だ。

あと、お守り……もう手遅れだ。

謎の部族のお面みたいなものが入っていたこともあったという。彼らは言った。「これ、どこで被ればいいんですか？　マスコミが来たときに顔を映されたくないときに被ればいいんですか？」と。

僕が、彼らからもらった最高の言葉を読者のみなさんへ心の救援物資として捧げましょう。

「そっちでいらないものは、こっちでもいらない！！」

それを聞いたとき「その通り」と思った。何でもかんでも送ることによって、実は相手に負担を強いていることもある。

そういえば、ドキュメンタリーで「不都合な寄付の真実」みたいな映画があった。それはアメリカの靴会社が、その店で靴を一足買えば、アフリカに靴が一足寄付されるという企画を追ったドキュメンタリーだ。その靴を送る先がどうなるかという内容だ。

アメリカ人たちは良いことをしていると思い、靴を買う。そして向こうに靴がたくさん送られる。向こうの人は靴がタダで手に入る。でも、向こうにある靴屋が潰れていく、という話だ。

その結果、彼らは自立できなくなり、永遠に物をもらう生活を続けることになる。いわば、その靴屋のやり方に彼らは利用され、彼らはずっと物を与えられるままの生活となる。魚の釣り方ではなく、魚を与えられ続けて自立できないように。

それがビジネスになるから、アフリカの彼らはそのままでいい。そのままでいてくれれば、先進国の誰かの金になるという真実。

ホームレスもそうだと聞いた。ホームレスを支援して国からお金をもらっている人たちは、ホームレスが自立することによって仕事がなくなる。だから、ホームレスはホームレスのままでいてほしいと。もちろんすべての支援者がそういうわけではないが、そういう人たちも一定数いる。他人の不幸で飯を食うやつだ。

でもよく考えたら、沖縄の不幸、福島の不幸、障害を持っている人たちの不幸、在日の不幸をここに書き、本が売れたら、おれの金になる。おれもクソだってことか。それは言い訳できないな。

ただ、ここではどうかわからないが、おれは笑わせたい。日本の、世界の、人間の嫌なところを笑いにしたい。


そういえばよく、アメリカじゃ批判は当たり前だとかそんな話ばかりしていると、「だったらアメリカに行け！　日本から出ていけ！」と言うやつがいるけど、おれがアメリカに行ったら、アメリカ人はこう言うと思う。

「そっちでいらないものは、こっちでもいらない」って。

つくり悲しみ顔

8月6日、朝8時15分、原爆が広島に投下された日。僕はいつもこの時期、広島に行く。何かを感じたくて。

沖縄の漫才、原発の漫才、すべてはそこに行き、感じることからできている。福島や沖縄、広島に行くおれに対して、友達から「村本さんって、悲しみを探すナマハゲみたいですね」と言われたことがある。「悲しいやつはいねえがーー」と言っているように聞こえるんだそうだ。

何かを感じ、心がざわついていないと、自分でいられない。漫才なんてできないと思っている。とにかく、おれは感じたかった。

8月、ライトアップされ、時にカップルのデートスポットのような扱いを受け、寂しげに見える原爆ドームを見ながら、「あの日、あのとき、あんたはここで、何を見たんだ?」と原爆ドームに語りかけるように考える。

今年はたまたま、広島の友達が付き合ってくれるらしく、集まってくれた。そして、原爆ドームの向かいの川辺に座り、買ってきた缶ビールを飲みながら、原爆ドームを見ながらみんなと語り合った。

一人の友達が「わたしはたまに一人でここに来て、川に足をつけて原爆ドームを見ながら考え事をするのが好きです」と教えてくれた。だから、おれも川に入った。冷たくて気持ち良かったんだけど、この川は近くに海があり、海水が混ざっているよ、とも教えてくれた。ならば、原爆が投下されて灼熱の炎で全身火傷(やけど)し、この川に我先にと飛び込んだ人たちは、海水の塩で相当痛くて苦しかったんだろうと思った。

ほかにも、平和とは、原爆とは、家族とは、命とは、個人とは、そんなことをビールを飲みながら話した。

おれは今日という日を覚えておきたいと思い、友達に「写真に撮って」とお願いした。そのとき、友達から「ビールは隠したほうがいいのでは?」と言われた。ビールがあることで「こんな大切なときに酒飲みながら何してんだ」と怒る人がいるかもしれない。川に入ることで「この川ではたくさんの人たちが亡くなっている。何やってるんだ」と

怒る人もいるかもしれない。

しかし、おれは思う。この川は、夏場は普通に足をつけて川遊びしている人もいる。原爆ドームの横には素敵なカフェがあり、そのテラスで酒を飲んだ人が、帰りにライトアップされた静かな原爆ドームを見ながら思いを馳(は)せることもある。

長崎には「バクダンちゃんぽん」なる店もある。これは不謹慎か？　それは違う。彼らはそれぞれのかかわり方をしている。

時間が経てば経つほど、かかわり方は変わっていく。必要なことは「僕らは僕らなりにかかわること」だと思う。

原爆の話は重くなりがちだ。だから、僕は広島の友達とみんなで酒を飲んで腹を割って語ろうと酒を買った。ひとりの女性は、この川に足をつけ、亡くなった人たちを考える。だから酒を飲んで川に足をつけ、語り合う。

これがおれの原爆ドームとの「いま」のリアルなかかわり方だ。だから表面的なところで「不謹慎だ」と発する人たちの言葉は聞こうとは思わない。その話が今回のテーマだ。

おれは前に宮城県の丸森町というところに行った。そこは台風19号の被害にあった場所で、いまでも町の一部はそのときのままで、土砂に埋まったままの家もある。

地元のおじさんにそのときのことを聞こうと話をさせてもらった。とても楽しそうに話してくださり、彼は終始笑顔だった。

そのとき、たまたまおれの日常を撮りたいとついて来てくれていたドキュメンタリーのカメラマンを見たおじさんが「あ、あんまり笑わんほうがええよね……?」と言った。

理由を聞くと、何回かテレビの取材が来てくれているんだけど、笑ったらカットされるんだ、と言っていた。「不謹慎だ」と言う人たちがいるんだろう。

彼らは、いつまで険しい顔をしないといけないんだろう。それは〝している〟のではなく〝させられている〟のだ。1年も経って悲しい顔なんてしてられない、と彼は本当によく笑う人だった。僕も彼らの話を聞いて、彼らの明るさに楽しくなった。

熊本の被災地では、友達のジャーナリストが撮影した地元の人がロレックスの時計をしていたらしい。そして番組側はそれを外させたと聞いた。理由は「なぜ被災者がロレックスを? 金持ってるんだろ」と勘違いする人がいるからだそうだ。

しかし、そのロレックスは、その人が地震で亡くなった親から受け継いだものかもしれないし、そうでないかもしれない。

被災者イコールこうだ、原爆ドームの前で撮る写真はこうだ、に当てはめようとするやつがいる。ロレックスに様々な理由があるように、原爆ドームと映る景色にビールや川に入った笑顔の男がいるのにも、いろんな理由がある。

写真は嘘をつかせる。「はい、ポーズ」なんてポーズをとらせる。
みんなでご飯を食べているときに「はい、ポーズ」と言うと、いきなり、グラスや皿を持ったりしてポーズをつくる。持つ必要はないだろう。その皿の会社からいくらかもらってんのか?と思うくらいの持ち方だ。疲れて歩いているときでも、「写真を撮るよー」と言うと笑顔でピースをする。さっきまで死んだような顔をしていたのに。
コロナ禍のいまは、友達同士で写真を撮るときに「マスクをしてから撮ろう」と言うらしい。「一応、叩く人がいるから」と。それまで着けていなかったくせに写真のときだけマスクをする。笑
広島平和記念資料館には、被爆した人の笑顔の写真があった。あのときでも、笑う人はいる。多分、あの時代にも「なんで戦後の大変なときに笑ってるんだ、不謹慎だ」と言う人たちはいたと思う。

彼らが誰かに、つくり悲しみ顔をさせる。彼らがどこかの被災者に被災者のキャラクターをやらせる。

笑うときは笑う、険しいときは険しい。原爆ドームの前では険しい顔をし、ビールを隠し、見ている人に「そうだよねーそうだよねー悲しいよねー」と共感させるごっこに巻き込まれたくない。

おれが、伝えたかったことは、これがおれのかかわり方だということだ。

おれがもし、あの日、原爆で亡くなった人たちなら川に入るおれを見て「おれ、ここで死んだんだから、今日は川に入らんといて」とは思わない。ビールを飲んで原爆ドームを見るおれに「なんでビール飲んでんの！　お茶でええやん」とは思わない。笑顔のおれに「ちょっと笑顔にならんといて、もっと険しい顔してよ！」とは思わない。そう望むのは、そうしてほしい、写真のおれはこうであってほしい、と思う第三者だ。

おれがあの日亡くなった人たちだとしたら、ビールを飲んで川に入り、彼らの話を夜中までするおれを見て、羨ましいな、良かった、笑顔最高だな、と幸せな気持ちになると思う。

北海道の虎と沖縄の龍

北海道で独演会をやるときによく来てくれる、ふうかちゃんという24歳の若い女の子がいる。ふうかちゃんは脳性麻痺で車椅子に乗っている。出待ちをしてくれていたので少し話し、そのあとフェイスブックで少しやり取りをした。

ふうかちゃんには最初、「わたしと一緒に、街を一日散歩しませんか？」みたいなことを言われた。

最初は「え！　おれのこと狙ってる⁉笑」と勝手に勘違いをしたが、理由は「わたしから見える世界を見てほしい」ということだったんだろう。興味深かったが、たとえ好きな女の子でも2時間と一緒にいられない僕は、その誘いを断った。

ふうかちゃんから見る社会は、僕が見る社会とは違うと思う。僕は好きな飲食店に入れる。でも、車椅子の人は入れる店の中で選ぶ。それはなんとなく知っていることで本当に知っていることではない。そうやって誘ってくれるふうかちゃんに、何かしらの魅力を感じていた。

僕はスタンドアップコメディというスタイルのお笑いが好きだ。スタンドアップコメディは欧米のコメディスタイルで、漫才とも漫談とも違い「意見」を大事にするコメディだ。マイク1つで、舞台で笑いを通じて物申す。

アメリカではオープンマイクというものがあり、誰でも気軽に飛び込みで参加してマイクを握る。僕の知り合いが観に行ったときは、買い物袋を持った主婦が舞台にあがり、旦那の悪口をマシンガンのようにしゃべって去っていったらしい。

アメリカのとあるコメディクラブの支配人は、こんなことを言っていたという。

「うちの劇場に出すやつは、何か言いたいことがあるやつだけだ」

ふうかちゃんにもマイクを使って言いたいことをスタンドアップコメディで発散してほしいと声をかけたら、面白そうだからやってみたいと言ってくれた。

そのライブを観に来た人は知っていると思うけど、ふうかちゃんのステージは会場が爆笑に包まれるほどの痛快な笑いだった。

しかも皮肉だったのは、ふうかちゃんのつかみだ。僕が司会でふうかちゃんを紹介するときに「お客さん、いまから出てくるふうかちゃんという女の子は、脳性麻痺で北海道から東京に来ました。そして、たった一人でこの舞台の上でしゃべるんですよ。さあ、言いたいことをぶちまけて！」と紹介し、客席の拍手を煽った。

そうして登場したふうかちゃんの第一声は「一人でしゃべるのは普通のことなのに、拍手するのはおかしいと思います‼」だった。客席は僕の紹介に対するその痛快なアンサーに拍手喝采。おれは固まった。

そのあとの絡みでも「その服おしゃれだね、自分で選んだの？」と聞いたら「服くらい自分で選びます！」と一蹴され、客席はよく言った、と痛快な笑い。これこそスタンドアップコメディだった。

スタンドアップコメディは、社会に対するカウンターパンチだ。黒人のコメディアンは白人社会にカウンターパンチを打ち、女性のコメディアンは男社会にカウンターパンチ、白人の男性コメディアンは政権にカウンターパンチを撃つ。そしてふうかちゃんは「脳性麻痺の障害を持っている人はおそらくこんな感じだろう」というおれの無知な偏見に完璧なカウンターパンチを入れてきた。

一方で、ずっと前から沖縄の独演会に来てくれる木村浩子(ひろこ)さんという80歳のばあちゃんがいる。年齢に関しては、ここ3年くらいずっと80歳と言い続けているらしいので、おそらく83歳だ。83歳といっても、髪を刈り上げて紫に染めていて、ロンドンの女ロックンローラーみたいなばあちゃんだ。この浩子さんも脳性麻痺で、いつも沖縄のライブに車椅子で来てくれる。

浩子さんがおれのライブに来たきっかけは、「朝まで生テレビ」で僕が「自衛隊はいらない、尖閣諸島はあげてもいい」と発言し、大炎上しているのを見て興味を持ったからだという。

この人のパワーはすごい。軍隊を持たない国、コスタリカがあると聞き、そんな国があるなら見てみたいとコスタリカへ行った。空気に触れたい感じたい、そしてその上で考えたい人なんだろう。

聞いたところによると、幼少期の戦時中、障害を持った子は足手まといになるから親の手で殺せ、と日本兵が青酸カリを母親に渡してきたらしい。でも、母親はそれを浩子さんに飲ませず山の中に逃げ、ずっと2人で隠れて過ごした。それをのちに母親の日記で知ったという。

浩子さんはいま、沖縄の伊江島とオーストラリアに宿を経営している。この前も浩子さんから、オーストラリアに一緒に行かないかと誘われ「え！　おれのこと狙ってる⁉」と勘違いしたが、どうやらオーストラリアの人たちを紹介したいということだったらしい。

その浩子さんに沖縄でフェスをやりたいから出演してくれと言われた（これまたパワフル）。「それなら、やつも誘おう！」と、前から二人を出会わせたかったので、北海道のふうかちゃんを誘い、ふうかちゃんもフェスに出ることになった。

沖縄の地で、まったく面識のない北海道の24歳の虎と、沖縄の自称80歳の龍が出会うことになった。おれの中では夢の共演。なんともファンキーでかっこいい二人。

そのライブにはたくさんのお客さんが来ていた。浩子さんのためなら、といろんな人たちが協力をしていた。すごくいいお客さんばかりだった。

しかも客席には赤ちゃんからお年寄り、若い人から障害者の人までたくさんいた。エンターテインメントを観に行って、こんなに車椅子の障害者が入り交じったライブは初めてだった。途中で手を叩き出す人、大きな声を出す人、最初はその光景になれずに戸惑ったが、途中で僕は思った。

これが社会なんだ、と。

社会にはみんないる。彼らをいないようにしてないか？

いま東京などで、映画館やお笑いの劇場に行くと、こんなに障害を持っている人を見ることはない。車椅子の人はいるけど途中で大きな声をあげる人はいない。もしかしたら、その人たちの介護者や親、友達に対して、そういうところに「来にくい」思いをさせているんじゃないか。

彼らはずっとどこかにいた。主催者が浩子さんだったから、このフェスには来やすかった。みんな楽しみたいのに楽しい場所にはいない。

赤ちゃんが泣いたり騒いだりしたら、まわりの目は、赤ちゃんだからしょうがない、となる。だけどそれが大人だったら、大声を出している人、暴れている人の見た目が大人だったら？　まわりの目はどうなる？

この前も、電車で独り言をずっと言っている大人がいた。おそらく障害を持っている。

満員電車の中で彼の両隣の席は空いていた。みんなが彼を空気にしていた。

まわりの目とは何だろう。世間の目とは何なんだろう。

僕はこの浩子さんのフェスの客席を見回し、本来の社会を見た気になった。そしていろんなことを考えさせられた。

エンターテインメントはお客さんに選ばれるもの。みんながみんなの好きなものを選べる世の中になってほしい。自分が見たいものを誰でも気楽に見にいける世の中。自分が食べたい店、行きたい店に行ける世の中。

おれは、なぜこの二人に惹かれるのだろう。二人は行きたいところに行き、言いたいことを言う。僕は口もペラペラしゃべるし、手も足も自由に動く。だけど、言いたいときに言わない理由を探し、動きたいときに動かない理由を探す。その場に立ち止まることを選び、歳をとっていく。

彼女たちを見ていると、いつも笑っている。のびのびキラキラ、ギラギラ生きているのを見て羨（うらや）ましくなる。

僕は今日も難しい顔をして怒っている。おれも彼女たちのようにありたい。

答えの捏造

ニューヨークで車椅子のおばあさんから「アジア人はこの国から出てけ！」と言われたことがある。そのときはすごくモヤモヤしたけど、「このばあさんは障害者で世界を知らないんだな。車椅子でアメリカから出られなくて同じコミュニティにいるから、痛みを知らないんだな」とおれが勝手な事実をつくれば、「だからかー、納得っ！」と自分の心が救われる。

これが「答えの捏造（ねつぞう）」だ。

自分の不安の解消のために答えを捏造し、「こいつは、もしくは、こいつらは、こうだから、こんなことするんだ」と、言い聞かせれば納得できる。

おれはその達人だ。「ネットで書き込むやつはかわいそうなやつだ」とか、ロンドンでシンガポール人の留学生がコロナで出ていけと言われて暴行されたときも「ロンドンはいまEUから離脱するから、愛国心を高めないと不安になる。だから、他人種が許されないんだろう」とか。

本人たちに聞いてもいないのに、ある程度の素材で他人を括って決めつける。

それは、許せないことを許そうとするからだ。「許せる」っていうのはそういう言葉だ。

たとえば、たまに女芸人が、美人な女優を上から目線でバカにして笑いをとる。そのときに笑えるのは、この女芸人がブサイクだから、「誰が言っとんねん」という前提があるからだ。

こいつだったら許せる。自分の好きなタイプのイケメンが調子に乗る。彼はイケメンだから許せる、と。普段なら許せないことを許せる理由になる。


この文章を書く前にニューヨークの空港で、無許可の白タクシーにぼったくられた。マンハッタンから空港に向かい、ターミナルを間違え、急いでエアトレインに乗ろうとしたら、黒人のインカムを持った男が「こっちだ！」と言った。

おれは「エアトレイン？」と聞くと、「今日は、エアトレインはだめだ。シャトルが出てる」と言われた。彼は制服らしいものを着ていた。

急がせるかのように、大声で「早く早く！」と言ってくるので、知らない空港だったからおれはそこでパニックになり、飛行機の時間も迫っていたので、急いで彼の言う通りに、彼の言う場所で待機した。

そこに、一台のワンボックスカーが現れた。バスではなく、しかも乗客はおれ一人。少し怪しいと思ったけど、さっきの男とは違う運転手も「早く早く」と大声で言うから、その車に乗った。

運転手は変な声で喋りかけてきた。いま思えば同じ男だった。彼は顔をこっちに見せず、サングラスをしていた。一人二役を演じていた。

そうとは知らず、僕はインスタライブを始めて、少し上手くなった英語の腕前をファンの人に披露していた。すると到着したターミナルで、198ドル払え、と言ってきた。2万円だ。僕は驚いたと同時に、やっぱりかーと思った。現金は1万円しかなかった。だから恐怖で1万円払った。

残りは会社に電話したりして見繕え、と言ってきたが、警察に行こうと言うと、この金額でいいよと言って去っていった。完全に詐欺にあった。なんとも言えない悔しさがわいてきた。

悔しさの正体は、自分で選んでないものに金を払ったことだ。これは10円でも腹が立つ。自分で選んだものなら100万円でも惜しくない。

もんもんとしたおれは飛行機の中でこう思った。

「インスタライブ中に、英語の腕前を見せると言って、その中でぼったくられるって、めちゃくちゃ悲しいけど、めっちゃ面白いじゃないか。ニューヨークの最後の最後に1ついいネタができたな」と。

しかしそれは、おれがこの悔しさをポジティブに変換するためにつくった答えでしかないような気もする。複雑な心をリセットするには、一度、相手を許す必要があるんだけど、それには、答えをつくらないといけない。

「彼は育ちが悪く、こうでもしないと飯が食えないかわいそうな人なんだ」

こうした不確定なことを事実と思い込み、捏造して許すことで自分が楽になる。自分が早く救われたいから咄嗟に考えた、勝手な答えの捏造なのに。

国という存在に取り憑かれた人もそうなるときがあるように思える。国という存在のファンになってしまったら、戦時中に日本は韓国を植民地にした、日本は韓国の女性を慰安婦にした、性の奴隷にした、という歴史も、世界から日本は恥ずかしいと責められることに不快を感じて、自分の調べた要素の中から事実を捏造し、自分たちの国を許す。

慰安婦は金をもらっていた、韓国は植民地になったおかげで高速道路や大学なんかが建てられた、だから得をしている、これは併合という、と言い出し、日本を立てるために他国の誇りを踏みにじる。

もちろん韓国にもそんなやつはいるから、お互いが「我が国は——」と怒鳴り合ってチーム戦になり、それ以外の国民が巻き込まれる。肯定するために、誰かの事実を誰かが捏造する。安心のために捏造される答えだ。


答えとはなんだろう。

友達に紹介されたニューヨークの寿司屋の大将が素敵で面白かった。彼は70代くらいなんだけど、彼に何を大事にしているのかと聞くと「ふしんちゅうです」と答えた。「日光東照宮の柱は1つを逆にしていて、それは完成すると崩壊が始まるというメッセージなんです」と言っていた。

彼は「9割自分が正しい、1割は間違えている」と考えるようにしていると言っていた。これが正しい答えだと決めると、崩壊が始まる。未完成のまま、完成に向かって突き詰めていくが、完成はさせないんだと言った。答えは持たない、答えなんてない。答えを持ったときに人は年寄りになり、若い頃はなー、お前らはなー、と言い出すんだって。

おれは、まもなく40歳だ。いま何割、自分を疑っているんだろう。けっこう疑っている。だからこそ不安になりツイッターや友達に、攻撃的になるんだろう。

答えを完成させないというのは、ずっと不安だということだ。手元にある安心に手を出さず、だからといって安心を探すこともしない。

一方で、早く決めることは迷わなくて済む。だから安心だ。

毎日のランチで食べるものを決めるように、何か大切なことを急いで決めていないだろうか。

迷うことを、考え続けることを、誰かの問いに答えることを、もっと時間をかけて、大事にしたい。自戒を込めて。

発信するということ

以前、「#検察庁法改正案に抗議します」ときゃりーぱみゅぱみゅさんがツイートし、たくさんの人が「よくぞ言った！　芸能人が同調圧力に耐えて素晴らしい」と称賛した。しかしそうではない考えの人たちは「何も知らない芸能人が発言するな！　勉強してから言え！」と反発していた。それに対して、よくぞ言った、と称賛した側は「歌手も市民だ、自由に発言する権利はある！」と怒っていた。

おれは知っている。芸能人が発言しにくい理由のひとつがこいつらの存在だ。彼らが守りたいのは言論の自由ではない。彼らが守りたいのは自分の側から見た正義だ。だからみんな発言したがらない。

今回も「#検察庁法改正案に抗議します」とツイートした芸能人に対して「バカのくせに」「何も知らないくせに」「影響力の強いやつが無責任なことを言うな」と大バッシングが飛んできた。

リストをつくった人もいたらしい。「政権に反対する芸能人をチェックしましたよ」という脅しみたいなことだろう。

ただ、それで発言しないのは民主主義の放棄だ。

「民主主義の木」を育てるには、まず土である「発言できる空気」をつくることだと思う。いまの日本は、発言すると「バカはしゃべるな、勉強してからしゃべれ」と罵声が飛んでくる。

おれも過去に一度、それでしゃべらないほうがいいのかな、と思ったことがある。だけど、有名な専門家と言われている人たちを調べたら、全員が「勉強してから言え」と罵られていた。

知っている人などいない。「知らないから黙ろう」は民主主義の放棄だ。

黙る空気は民主主義の木を枯れさせる。民主主義は放置されて腐り、取り上げられて、独裁政権が完成する。黙れというやつもそれで黙るやつも、腐らせることに参加している。独裁国家がお似合いだ。

この国に足りないもの、それは自分の意見の主張だ。発言することから考えが始まる。

ローラさんが沖縄の辺野古の自然について発言したとき、オーストラリアの火災について発言したとき、きゃりーぱみゅぱみゅさんが検察庁法改正案について発言したとき、水原希子さんが在日について発言したとき、それは多くの若者たちに届き、関心を与え、考えさせた。

そのときは考えなくても、テレビで辺野古のニュース、オーストラリアの火災のニュース、検察庁法改正案のニュース、在日朝鮮人へのヘイトスピーチのニュースを見た若者たちがそれまではチャンネルを変えていたところを、彼女たちが言っていたな、と手を止める。そこからその若い子たちは考え始める。

おれの好きなウディ・アレンの映画『女と男の観覧車』の中でもこんな言葉がある。

「無知は罪ではない、たまたま縁がなかっただけさ」

ある若い女の子がエリート大学生と恋に落ち、彼から紹介してもらった本を手に取って読んだけど、「わたしはバカだから読めなかった」と言う。そこでその大学生が言った一言だ。

その本を授業で先生から薦められていても読めなかった。でも、好きな人から渡されたら知ろうとする。

雑誌の表紙を飾るような彼女たちは、たくさんの同世代から愛されている。大好きなスターの彼女たちが発言していることで知りたくなる。スターの彼女たちが発信するというのはそういうことだ。

雑誌の表紙になぜスターを起用するのか。それはその雑誌を手に取らせるためだ。車の雑誌も週刊誌も、表紙は美女のグラビアだ。車に興味がなくてもそれらを手に取る。

彼女たちはきっかけだ。環境問題、差別問題などの社会問題も彼女たちが発信するということは、その問題の表紙になっているということだ。

この前、おれが定期的にやっている独演会で、青森県六ヶ所村の話をした。

この村には日本中の原発で出た核のゴミが集まる。それを独演会でネタにした。「あの村は核のゴミを受け取ることによって、国からお金をもらい潤っている」とだけしゃべった。たいして調べず、ニュースで見たものをただイメージで発信した。知らないくせに知ったかぶりして発信した。

すると、その独演会をニューヨークから観てくれていた音楽家の坂本龍一さんからライブ後にメールが届き、六ヶ所村になぜ核のゴミが集められるか、地元の住人がどんな思いで反対運動をしてきたかを説明された。そして、これもいいきっかけだからこの本を読んだほうがいいと『六ヶ所村の記録』という当時のことを書いた本を紹介された。

おれは無責任に発言したことが少し恥ずかしかった。でも発言したおかげで坂本さんが教えてくれた。そしてその本を買った。ちゃんと読めるかはわからないけど六ヶ所村のことを前より少しでも理解できるかもしれない。

もちろん坂本さんは、「勉強してからしゃべれ」なんて言葉は使わず、丁寧にメールをくれた。

これが知との縁だ。無知は縁がなかっただけ。それだけでしかない。「恥ずかしい」なんて思わなくていい。間違えは、知るきっかけをつくってくれる。

恥ずかしいと思ってしまうと何も発せなくなってしまう。「こんなことも知らないのか」とバカにされるから話すのをやめよう、その話題は避けよう、となってしまう。

発信しないことは沈黙すること。沈黙は民主主義の木を枯らすことになり、発信はそれだけで民主主義に水をやり続けることになる。

以前、韓国人の友達から香港の「逃亡犯条例」のデモがあったときに、おれのところにこんなメールが届いた。

「香港デモに対する韓国人の反応は、『いまの香港は80年代の韓国だ。我々が民主化に成功したように、香港人も民主主義を勝ち取るだろう』といったものでした。

悲しいですが、民主主義の木は国民の血で育っています。どの国も王政から民主主義に移行する過程で犠牲があったからです。韓国も日本も、戦後、突然民主主義になりましたが、韓国はその後、独裁者が現れ、民衆がデモで血を流しながら民主主義を取り戻しました。

何の犠牲もなく得たものには価値を感じられないものです。その経験の違いが、もしかしたら、いまの韓国と日本の国民の政治観の温度差の原因ではないかと思います」

日本は、血を流さずに民主主義の木を大事にできるのだろうか。もしくは目を離したすきに引っこ抜かれるんだろうか。

発言は民主主義の木に水をやり、育てることだと思っている。その木には言論の自由の実がなっている。

民主主義の木に水をやらず、枯らせてしまうと実もなくなる。民主主義が欲しくても手に入らない国は多い。この国は民主主義を持て余しているようにも見える。

置き去りにされた被災地

台風19号の被害がすごかった宮城県丸森町に行った。

福島で独演会をやったとき、2人組の男女と話したことがきっかけだ。彼らは丸森町の復興を手伝っているらしく、町からわざわざ2時間ほどかけて福島市まで僕の独演会に来てくれた。そこで、ぜひ丸森町にも来てほしいと言われた。

丸森町の名前は知っていた。台風19号のニュースのときに、土石流だなんだで道が塞がって孤立してしまい、救助に行けず、地元の人たちが土砂にSOSを知らせる大きな文字を書き、それを上空のヘリが見つけてニュースになっていた場所だ。

その丸森町に、来てほしいと言われた。現状を見てほしいと。

しかしそのとき、僕はすっかりその町のことを忘れていた。ああ、そんな町あったな、あのときニュースでやっていたなと、ふと思い出した。

翌日は何も予定がなかったけど、いまいちめんどくさいのほうが勝っていた。僕の泊まっているホテルからもすごく遠かったし、おれが言ったところで、というのも強かったし、被災地に行って何か感じることがあるのかな?という気持ちもあった。

しかし当日、行く理由が3つできた。

ひとつは、丸森町に食べログの点数の高いとても美味しそうなラーメン屋があったこと。もうひとつは、その丸森町から独演会に来てくれていた女の子がすごく美人で可愛かったこと。もうひとつは、たまたまそのときに僕に密着してくれていたドキュメンタリーの担当者が来ていて「レンタカー代出しますよ」と言ってくれたこと。

休みだし、とりあえず行ってみよっかということで、僕は丸森町に向かった。あの美女とラーメンでも食べて、サラッと被災地を見て帰ろうかなぐらいの気持ちで。


車で2時間ほどかけて、僕は丸森町に着いた。

昨夜の美女に連絡をし、着いたからどこに行けばいい?と聞くと、役場にいるからそこまで来てください、と言われたので役場に行った。

役場に着き、車を降りて彼女のほうに行くと「町長を紹介します」と言われ、彼女は役場の奥に入っていった。僕はよくわからず「あー、はいはい」となんとなく返事をし、彼女についていくと、町長室に入れられた。

しばらくして丸森町の町長が来て「ありがとうございます、今日はよろしくお願いします」と挨拶をされた。続けて町長は「いま、丸森は大変なことになっていて、今日、村本さんに視察いただく場所は……」と話し始めた。

ここで初めて気づいた。「ハニートラップにひっかかった」と。丸森町の女の子は、僕をここに連れてくるために呼んだんだ。

彼女が何を言ったのか、町長室のまわりには街の偉い人たちがたくさんいた。そしてたくさんの人たちに「丸森をよろしくお願いします」と言われた。もはやこうなれば、この子と二人なら被災地だってデートさ、と自分に言い聞かせるしかなかった。

そのとき、町長の部下の男性が「あの方が来ました」と言って、長靴を履いたおじさんが現れた。被害がすごい地域のおじさんらしく、「この方が、今日は村本さんをエスコートしますんで」と言われた。案内人がティンカーベルからロードオブザリングの小さいやつに交代したような気分だった。

こうしてあれよあれよと言っている間に、丸森町被災地ツアーが始まった。

最初は、買ったばかりのプラダの靴が汚れるよーーとテンションが下がっていたけど、

そんな気持ちは被災地を見てすぐに消えた。

土砂に埋まる家。土石流で流れてきた大きな石が家を潰し、台風の暴風で引っこ抜かれた大木が民家の窓ガラスに突っ込んでいる。こんな光景は見たことがなかった。

その中で僕はいろんなことを知った。それはその強烈な風景だけではない。

東日本大震災は原発事故や津波もあって、世界的なニュースになり、寄付も集まりやすかった。仮設住宅にもたくさんの家電がついていたらしい。しかし台風19号の丸森町は、被害レベルは同じなのに、範囲が狭くてなかなかニュースで取り扱ってくれなかった。だから誰も知らなくて寄付も集まらない。仮設住宅にはストーブもなかったと聞く。

コロナでボランティアも来られず、復興に必要な部品もほとんどは中国から取り寄せているらしい。その部品も、コロナの影響で到着が遅れている。ボランティアと部品が来ないので復興が止まっていると聞いた。


丸森町のあの美女と一緒に歩いていると、ところどころで地元のおじいちゃんやおばあちゃんが集まってきて、彼女はすごくチヤホヤされていた。

その理由はすぐにわかった。彼女は避難所にずっと通い続けていた。おばあちゃん、おじいちゃんたちと、本当の孫よりも仲良く寄り添って、一緒にいた。なにより彼女は明るかった。明るく楽しく、避難所に通い元気づけた。

聞くと、彼女は2020年のミス宮城に選ばれていて、次はミスジャパンを目指しているらしい。ゆくゆくはミスワールドになって、丸森町のことを発信したいと言っていた。なんでなりたいの?と聞いたら、彼女は影響力がほしいと言った。

豪雨の被害にあったとき、彼女は痛感したことがあった。自分が何者でもないこと、だからやりたいことに時間がかかりすぎるということだ。

たとえば彼女は、豪雨被害で家などを失った子どもたちのために、ランドセルを手に入れようとランドセル会社に交渉をしたらしい。

しかし、彼女が何者かわからないから信用がなく、手続きが遅くなったという。あの時間ロスがなければ、もっと早くランドセルが行き渡ったのに、と言っていた。

たしかにそれはあるだろう、僕は少しテレビに出ていた過去もあり、知っている人は知っている。だからすぐに町長にアポが取れた。そういうときに有名な人というのはいい。たとえば、普通の人なら3つの工程がかかるところを1つで済んだりする。

彼女は、女性の立場からも被災地の問題に取り組んでいた。たとえば避難所では、女性たちは化粧水や化粧品を必要としていたりもする。女性として、肌のメンテナンスもちゃんとしたい。しかし避難所では、化粧水などは贅沢品だと捉えられて、そういったことは言えないという。そこで彼女は、化粧品会社に掛け合い、それらを提供してもらって避難所の女性たちに配った。

僕は、避難所で女性が化粧をするという発想すらなかった。でもたしかに、違う街の豪雨被害があった地域に行ったときに、ジャニーズが避難所にサプライズで来ると聞いた女性が「ジャニーズの避難所サプライズはやめてほしい。ちゃんと事前に知らせて化粧をさせてほしい」と言っていたと聞いたことがある。

あとこれは面白話だけど、嵐の松潤が避難所に来るという噂があり、避難所の女性たちが「嵐が来るよ」と色めきだっていると、その中にいたおじいちゃんが「豪雨の次は嵐か……」と怖がっていたとかなんとか。


僕は丸森町のティンカーベルに連れられてここに来て、ラーメンは食べられなかったけど、いろんなことを考えさせられた。

新しい被災地ばかりを取り上げ、過去のものは数字にならないからと取り上げないメディア。そのせいで置き去りにされ、復興が遅れている被災地があるということ。

そしてそこで、漫才をするわけでも音楽をやるわけでもなく、そこにいるだけでその場を明るくするヒーローがいるということを知った。

社会未経験童貞には細かな説明が必要だ

以前、「多目的トイレ」という記事を書いた。

内容は簡単に言うと「友達に3歳の娘がいて、友達が手が塞(ふさ)がっていたから、おれがその子をトイレに連れて行った。女子トイレには入れないし男子トイレにも連れて行きにくいので、多目的トイレを使った。でもそのとき、中に中年男性がずっと入っていてその女の子は外でずっと我慢していた。多目的トイレは必要な人に行き届くようにしないといけない」と、アンジャッシュ渡部さんの記事を見て、自分が実感した多目的トイレの大切さを書いた。

するとその記事が炎上していると聞いた。調べてみると「3歳の娘をほかの男性にトイレに連れて行かせるなんてひどい母親だ」といった批判だった。

なぜ漂白剤の注意書きに「※飲み物ではありません」と書くのか。洗濯で使う液体にそれを書く理由は、洗濯をした経験がない小さな子どもが、飲み物と勘違いする可能性があるからだ。おもちゃの部品にも「※誤って口に入れないでください」と書かれている。それも赤ちゃんが間違えて口に入れる可能性があるからだ。

最近は、バラエティ番組で食べ物を使って笑いをとるときも「※スタッフが責任を持っていただきます」みたいな注意書きがテロップで入るようになった。それは視聴者にバラエティの意図を汲み取れない人たちがいるからだ。笑いをとるために使う食べ物を「食べ物がもったいない」という視点で見る。

その注意書きさえ書いとけば、顔面ケーキに対しても「それならいいよ」とクレームが減る。よく考えたらそんなぐちゃぐちゃになったケーキをスタッフに食べさせる時点でパワハラだと思う人も多いかもしれないから、だったらもうこの企画をやめておこう、となる。

映画の仕事をしたときに知り合ったスタッフが、最近では映画のシーンで銀行強盗が車で逃走するシーンにもシートベルトをしないといけなくなっていると言っていた。スポンサーが敏感なんだと。「シートベルトをしなくてもいい」と思う人が出てくるかもしれない、と。シートベルトの前に強盗してるからね、と思うんだけど。

コロナ禍の自粛期間中にインスタグラムに食べ物の写真を載せる人が多かったけど、ここでも必要以上に「※過去の写真です」アピール。あれも「ココのハンバーグおいしいです」でいいのに、外出していると捉える人のためにわざわざ注意書きを添えないといけない。

アダルトDVDだってそうだ。あんなセックスはポルノの世界だけの話だ。

ニュージーランドでは面白いCMがある。ポルノ俳優が自宅を訪れてお母さんに「あなたの子どもが私たちにアクセスしています」と言うCMだ。

子どもがスマホからアダルトサイトに入ってしまうことが頻繁に起きていて、それを注意喚起するCMなんだけど、その後半に「普段私たちはあんなセックスはしない。あれはポルノの世界だけよ」と現実とポルノの違いを教える。

リアルなセックスの前にポルノから入ってしまい、ポルノみたいなセックスをセックスだと思い、彼女ができたときにそれをしてしまう子どもが多いから、それに対しての注意だそうだ。

要は、注意書きをしてあげないといけないのは、経験値の少ない人のためだ。わざわざ書いてあげないといけない。一部だけを見て思考停止し、瞬発的にそれを判断してしまう人たちのために。

前にスタバでコーヒーを飲んでスリーブに名前を書いてもらったことをインスタグラムで書いたときにも「あなたはスターバックスがどういう会社か知っているんですか？彼らはモンサント社と遺伝子組み換えの……」「スターバックスのような大企業は貧しいコーヒー豆農家から安く買いたたき……」といったコメントが来た。

この文章の意図は「名前を書いてくれたよ」ってことだ。しかしそれを自分の論点に落とし込み批判してくる。

今後スタバのツイートをするときは「※スタバのコーヒーは好きですが、遺伝子組み換えに関しては表記するべきだと思います」「※普段はフェアトレードで買った豆を使っています」と注意書きが必要だ。

友達がインスタグラムにコスパの良いステーキレストランの写真をあげたら、「南極のペンギンは……」とコメントが来たそうだ。彼の伝えたいことはこのステーキ店のコスパの話だ。牛のゲップの二酸化炭素による地球温暖化の話はしていない。

他人の文章に乗っかってきて意図をすり替え、自分の伝えたいことを伝えようとしてくるやつ。彼らのために今後ステーキのツイートをするときは「※地球温暖化のことも考えています」「※グレタちゃんの本買いました」と注意書きが必要だ。

「犬欲しぃー」と書くときも「※ペットショップではなくブリーダーから買い取ろうと思っています」「※保護犬も検討しています」と書いてあげないといけない。プロレスの中継も「※この二人はちゃんと練習した上で技を掛け合っています」「※帰りのバスは同じです」と。

バラエティ番組でブスとかハゲと罵り合っているタレントたちが映ると「※この二人はプライベートでもこんな感じで仲良しです」「※スタッフからこの流れでお願いしますと打ち合わせで促されています」。

だからおれも「多目的トイレ」の記事には「※この3歳の女の子は友達の女性の子で、毎日のように一緒に遊んだ家族の子どもです。この娘は僕のことをパパと呼んでくれて本当の親子のように仲良くなりました。この女の子は普段、人見知りが激しいらしいんですが、毎日のように一緒に遊んでいたら心を許してくれました。ちなみにそのとき、その子のお母さんはほかにも2歳と0歳の子どもがいて、その子どもたちの面倒を見ていてどうしても手が離せなくなり、僕がトイレに連れて行くことになりました」と書いてあげないといけない。

想像力が欠けている人たちのために注意書きという松葉杖を用意してあげないといけない。想像できない人は書き手の伝えたいことすら汲み取れず「多目的トイレの必要さ」を伝える記事に対して「3歳の娘をほかの男に任せるなんて」みたいなアホな感想になる。

この話を、おれのまわりの友達に話すとみんな「友達の子どもをトイレに連れてくことなんてあるよね⁉」と驚かれる。「ただ何でもかんでも批判したいだけの人だよー」とも言われた。でもおれは、もちろんそんな人もいるかもだけど、実は本気でそう思っている人もいると思っている。

僕やそれを理解できる友達、これを読んでいて理解できるあなたにあって、理解できない人たちにないもの、それは経験だ。

子どもがいる家族と何度も遊ぶことによって子どもの面倒を見ることもあるし、仲良くなると親の代わりにお風呂に入れてあげることもある。それを経験している人、あるいは友達が経験している人は、漂白剤のように注意書きをしなくても理解できる。人は経験から想像し、理解できる。理解することができず「ありえない」という人たちはその経験値がない人たちだ。

彼らはポルノを現実のセックスだと勘違いする子どものように、経験のなさから、無理解になる。

ネットの中だけでそれを経験した気になっている人たち。そんな童貞たちのために、これからますます、しなくてもいい注意書きをしないといけなくなる。

彼らは世の中を退屈にする犯人だ。

※この場合の童貞という言葉は経験値がない人たちのことを揶揄した言葉なので「セックスぐらいしたことはある」という批判はなしでお願いします。

彼らのネタ

僕は〝泣きながら笑う人〟を見たことがある。笑いすぎて涙が出るのではなく、悲しすぎて涙が出てくる、でもおかしすぎて笑ってしまう。

あのとき、僕は見た。彼らは手を叩いて笑っていたけどボロボロと泣いていた。悲しそうに、だけどうれしそうに。

あれは僕にとって忘れられない日で、僕は僕の笑いに対して強く自信が持てた日だった。僕が漫才を通して見た、彼らの話をしたい。

2016年4月14日、熊本を震度7の地震が襲った。その地震は、街を破壊し、たくさんの命を奪い、誰かの余裕を奪い、人と人との関係性を奪い、そこに住む人たちの当たり前の日常を根こそぎ奪っていった。

僕はその少しあとに、番組のロケで熊本に行かせてもらった。被災地と言われる場所に行き、そこに住む彼らの話を聞いた。

そのとき、仮設で飲食店をやっているおばちゃんがこんなことを言っていた。

「地震の翌日、男性の声で『予約を入れたいんですけどー』と店に電話があった」と。おばちゃんが「いや、あなた知ってるの？ いま熊本は大変なことに……」と言うと、相手は笑いながら電話を切った。僕は、誰かが不安なときにそれを嘲笑う人間が本当にいることを知った。

震災の街は犯罪のターゲットにもなるようだ。被災者たちは地域の体育館などの避難所にいるから、家は留守。それを狙って各地から泥棒が集まる。避難所での共同暮らしで心が弱った女性を狙った性犯罪もあるらしい。

そんな状況下で心が疲弊すると、他人に対して余裕がなくなる。あそこの家は補償金をいくらもらったただなんだと、妬み嫉みから、本来一番支え合わないといけない人たちが一番信用できなくなる。

ある女性は、震災で自分が変わっていったと言う。

彼女が熊本市内の被害の少ない地区のスーパーに買い物に行ったとき、レジで並んでいたら、綺麗な服を着た親子が前に並び、女の子が「これ買ってー」とはしゃいでいたそうだ。そんな光景を、いままでなら微笑ましく見られていたのに、そのときは「なんで同じ熊本なのに、わたしだけがこんな目に、こんなに汚れた服で、惨めな思いをしないといけないんだ」と、幸せそうな他人の日常を憎んでしまったらしい。

仮設住宅もみんなが入居できるわけじゃない。1年経っても、被災者の数が多すぎて、多くの人は中学校の体育館に段ボールを敷き、そこで生活をしている。

しかし、学校も再開する。段ボールと毛布で生活する被災者たちと、彼らが生活する体育館で部活動をする学生。彼らは好きでそこにいるのではない。仮設住宅に入れず、引き取ってくれる親戚などもいない身寄りのないお年寄りも多い。

学生たちも同じ境遇だったりするから、そんなことはわかっている。だから彼らに気を遣い、あまり大きな音を立てないように部活をする。

体育館で生活していたあるおばあちゃんは、おれにこう言った。

「わたしたちのせいで子どもたちは思いっきりスポーツができない。本当はもっと広く体育館を使ってスポーツをしたいだろうに。申し訳ない」と苦しんでいた。

あのときは、日本中から誰かが「僕たちにできることはないか」と熊本にかけつけた。自衛隊の人たちは壊れた家屋などを撤去し、芸能人は炊き出しをし、ラーメン屋などの飲食店は無料で食事を振る舞い、被災者を元気づけていた。

そのとき、僕は気づいた。

こんなに悲しい場所なのに、泣いている人がたくさんいるのに、ここには不幸がたくさんあるのに、そこにお笑い芸人がいないことに。いや、芸人はいたけど、炊き出しを手伝ったり、被災した人たちと握手をしたり、カラオケ大会みたいなことをやっていた。誰も「彼らのネタ」はしていなかった。ネタではない。「彼らのネタ」だ。

彼らのネタとは何か？

東日本大震災のときも、漫才ツアーみたいなもので数年経った東北に行き、「被災地を元気にする」みたいなライブに呼ばれた。

当時、楽屋に主催者が来てこう言った。「地震とか死ぬとか揺れるとか、震災を思い出すようなワードはなしでお願いします」と。そのとき、僕もまわりの芸人も、そりゃそうだろうと納得した。いまこれを読んでいるあなたも、それはそうだと思っただろう。

しかし、ミュージシャンの斉藤和義（かずよし）さんは、東日本大震災の福島原発の事故のときに、「ずっと好きだった」の歌詞を変えて、「ずっとウソだった」という歌をつくった。原発が安全だなんて嘘だった、という内容の歌だ。

彼らのそれにふれて歌を歌っていた。彼らの歌を歌った。彼らはそれを聴き、泣いていた。

しかし、お笑いはそれにふれない。それにあなたはこう言うだろう。「笑わせる仕事なんだから、トラウマを思い出させてどうする?」と。トラウマにふれることはタブーだと。

でも、どうなんだろう。傷つけることを恐れて彼らのそれにふれないままタブー認定することは、お笑いがお笑いの仕事をしていないようにも思う。

悲しみを笑い飛ばす、というように、どんなに重い苦しみも、笑えば飛ばせる。笑いはあなたが〝重い〟と背負っている〝それ〟にふれて、軽くする仕事だと思っている。

熊本地震のあと、ビートたけしさんはこんなことを言っていた。

「被災地に笑いを、なんて言うヤツがいるけど、いままさに苦しみの渦中にある人に笑いで励まそうなんていうのは戯言でしかない」

明石家さんまさんも、熊本地震のあとにラジオで「こういうときに、お笑い芸人というのは困りますね。苦しんでいる、ふせている人たちが、おれのテレビを見てちょっとでも笑っていただければと思っていたけど、本当に落ち込んでいる人たちを前にすると、笑いが必要なのかという壁にぶつかる」と言っていた。

僕は思った。いままでも、テレビの向こうには本気で落ち込んでいる人たちがいたはずだ。家を失った被災者と同じように、大好きな恋人と別れて苦しい人もいる。地震ではなく、病気で大切な人を亡くした人もいる。

そんな人だってテレビをつけている。さんまさんやたけしさんの目の前にあるカメラの向こうには、そんな生きることに苦しむ人たちがいる。

でも、スタジオ観覧には若い女の子たちが集められ、場を盛り上げる。苦しむ人たちはそこにいないような空間がそこにはある。だから、いざそこに彼らがいる、となったときに、何をしていいか、何をして笑わせたらいいかわからなくなる。

もちろん、テレビに出ている芸人たちも彼らがいることは知っているだろう。知っているから、傷つけることが怖いから、それにふれないように、それをタブーにして笑いをやる。

それをタブーにして笑いをやることによって、それを観ている視聴者たちも、それでいいんだと、それをタブーとして会話するようになる。テレビの中の人たちとそれを観ている人たちが、それにふれないことを互いに許し合うせいで、彼らはそこにいないものになる。

タブー視されることのつらさ。

僕はそれにふれたい。それは僕の勝手な意見だけど、僕はふれたい。コメディを使って、それらに優しくふれたい。

僕は被災者の人たちから話を聞き、それを心で感じ、それを漫才にして、熊本に行くことにした。被災者の数、仮設住宅の数を彼らの前で発表し、そんななかで行われるオリンピックとその予算、そしてそのお金があれば、あなたたちがその仮設住宅から出られる、そんなネタを書いた。

だけど、不安もあった。なぜなら僕が行った被災した熊本の街は、僕が来たことをすごく喜んでくれたからだ。彼らはおれに言った。「震災直後、たくさんの芸能人が来てくれた。だけどもう来なくなった。だから来てくれるのがうれしい」と。

そこだ。なぜ芸人が被災地に行ってカラオケをしたり、握手をしたりするのか。それは「来てくれるだけでうれしい」から。「見られるだけでうれしい」からだ。

しかし、おれがそこに持ち込んでいるものは、おれが隠し持っているものは、「重い」と避けられているタブーというやつだ。

おれのようなテレビの需要もない芸人に、子どもからお年寄りまでたくさんの人たちが集まってくれた。仮設の大きなテントに、マイクを用意してもらい、僕は彼らの前で漫才をした。最初からそれにはふれない。最大まで笑わせてからだ。

そのネタは、様々な地域の人間が出てきて、その地域にまつわるクイズを出し、答えられたらその地域に住ませてあげるというネタだった。福井県や沖縄などを出し、その地域にまつわることを言い、笑わせた。

そのなかで、熊本も出した。仮設住宅に住む人たちの数や、オリンピックの競技場を建てるなら被災地に家を建てろ、と。

すると、オチのところで大きな拍手が来た。その場にいた人たちが、満面の笑みで手を叩いて笑っていた。だけど泣いていた。僕はいまもその景色を思い出す。なんだろう、僕はあんな悲しい笑いを見たことがない。

その夜、ホテルで泣いた。悲しくてたまらなかった。彼らのあの顔が悲しくてたまらなかった。

翌日、あの中にいた誰かからメッセージをもらった。「私の知っている漫才に出てこない言葉がたくさん出てきた。だけど、すごく面白かった。だけど涙が出た、なんだろう」と。

それは〝みんな〟のネタではなく〝彼ら〟のネタをやったからだと思う。

〝みんな〟とは誰だろう。

鹿児島の友達が言っていた。小学校のときにランドセルを買ってもらえず、みんなに貧乏貧乏といじめられた。それをお母さんに言ったら「みんながみんなだと思うな」と言われたと。

別の友達は言っていた。カレー屋のチラシに「みんな大好きカレーライス」と書いてあった。そのとき、彼女は「ふざけんなよ、わたしカレーライス嫌いだわ!」と思ったと。

みんなの中に彼女はいない。

テレビの笑いを「みんな好き」と言うが、みんなの中にいない人たちもいる。笑いは大変だ。見ている人たちに笑ってもらうために、好かれるために笑いをやる。そのせいで、なるべく好まれようと、表現が安心安全に向かって、すごくつまらないものになる。嫌われてもいい、傷つける覚悟で笑いを表現することは、笑いを本当の意味で成長させるのに。

僕は思う、臭いものに蓋(ふた)をするというけど、それは臭くないんだ。臭いと思っているのは普段からあなたがその匂いを避けているから。鼻が慣れていないだけだ。

怖がるな、臭がるな、誰かは悲しがっているぞ。臭いものにされることを、タブーにされることを。

西部邁さん、ありがとう

西部邁（すすむ）という社会学者がいた。ある日、彼のことを友達から聞いた。

「村ちゃん、すごい人がいるよ。西部邁さんて学者さんでね、生まれて一回も選挙に行ったことがないんだって。それを公言してる人だよ」と。

僕は彼のことをまったく知らなかったけど、「会いたい、会ってその心は？と聞きたい」と思った。

だからすぐにツイッターでアピールした。これがちょい有名人のいいところ。僕が「西部邁って人に会いたい」と連呼したら、AERAというメディアが反応してくれて、すぐに対談を組んでくれた。場所は西部邁さんの自宅。行くやいなや、すぐに「ワインを飲みながらやろう」とワインを勧められた。

最初、西部邁さんは、「仲の良い担当者がお願いしてきたから引き受けたものの、村本なんて芸人知らないし、1時間で終わらせてくれ」と話していたそうなんだけど、話が盛り上がりすぎて、2、3時間は話していたと思う。

僕が、「このあと独演会があるから帰らないと」と言うと、西部さんは「どこでやる？私も付いていっていいか？　君が素晴らしい男だということをお客さんに説明したい」とまで言ってくれた。

僕もすごく楽しかった。石破茂さんや鳩山由紀夫さん、小泉純一郎さんとも対談したことがあるが、それらとはまったく違った。

一度、秋元康さんの食事会みたいなので小泉進次郎さんが来ていて、軽く議論をしたことがある。そのときは確か、僕が北朝鮮に行ってみたい、と話したことから始まった。

彼は「村本さん、あの国がどんな国かわかっているんですか？　日本に迷惑をかけることになるかもしれない」と言った。

それに対して僕は、「僕が見る北朝鮮の情報は日本のニュースや日本の新聞が書いている。それは日本目線のニュースだ。実際に北朝鮮は中国人の観光客も多いと聞く。北朝鮮は世界から孤立していると日本のメディアは言うけど、世界の多くの国と国交を結んでいる。北朝鮮のネガティヴな一面を、日本はメディアを通して国民に見せ続けている。そんなネガティヴなパズルのピースだけを見せられ続けたら、僕らは全体を知ることを放棄してしまう」という話をしたと思う。まわりの人たちが「先生も忙しいから、ね」と言って、話は終わらされたけど、政治家ってのは、だいたいそんな表面的な話に終始する。

しかし、西部邁さんは違った。それをここで言語化することはできないから、僕の文章から感じとってくれたらうれしい。

彼は、選挙に行かない理由をこう答えた。

「選挙に行って国が変わる確率より、投票所に行った帰りに車にはねられる確率のほうが高いよ」と、ひょうひょうと言った。

でもそれを言うと「選挙に行かないなら政治に文句を言うな」って言う人いませんか?と聞いたら「僕も何度か言われたけど、ふざけるんじゃないと思う。いままで雑誌や講演なんかで政治に対する意見は言ってきたし、家庭でも酒場でもそう。つまり、政治参加は枯れ葉のように軽い一票を入れることだけじゃないんだ」と言っていた。

僕も選挙には行っていないにしても、普段から漫才やツイッターや飲みの席で、政治や社会について発言し、講演などもしている。熊本の被災地に行き、そこで聞いた被災した人たちの不満を集めて議員会館に行き、政治家の人に届けに行ったこともある。

僕が生放送でテロを起こしたことも、僕にとっては政治参加だ。見ている無関心層に、関心を抱かせ、投票に行きたいと思わせたら、大きな数になる。

石を川に投げるのも、石を崖のほうに投げて崖の上の石をたくさん落石させるのも、結局、川に石を落とす行動だ。僕らの行動はドミノの中にある。

たとえば、僕のこの本を読み、僕の漫才を観て誰かの心が動き、誰かにそれを話し、その次の誰かが、初めて選挙に行くきっかけになるかもしれない。

社会のことを発信したくなるのも、選挙に行くのも、関心を持つのも、ドミノ倒しで、いつか自分の後ろからドミノがパタンと倒れてくる。意志というのは簡単には変わらない。だから僕の後ろから倒れてくるそのドミノが軽ければ、僕は倒れないだろう。しかしそのドミノが重ければ、倒れるだろう。

それがきっかけだ、運命だ。恋愛と同じ。誰でもいいから入れろとかいうのはベストではない。消去法で選んで入れろは、恋愛だとしたら、セックスだとしたら、最悪だろう。

西部邁さんはおれに教えてくれた。大切なのは〝楽しさ〟だということを。ご飯をおいしそうに食べる人を見ていると幸せになり、こっちまでお腹が空いてくる。政治の話でもなんでも、あんなに楽しそうに話されたらこっちまで楽しくなってきて、知りたくなってくる。

正しいか、間違っているかではない。多くの人は政権に怒り、不安を煽る。多くの人は中国や北朝鮮、韓国に怒り、不安を煽る。でも、彼にはそれがまったくなかった。彼はずっと楽しそうだった。

一番に大切なのは楽しいことだ。政治の話なんてのは、難しくてややこしくて、いつだってしゃべるやつが「おれが真実を教えてやる」ってスタンスで気持ち悪くて毛嫌いしていた。いつも心の中で、お前モテないからそれにしがみついてきたんだろ、と思っていた。

でも西部邁さんの話は楽しくて柔らかく、まるで思春期の女の子が好きな男子の話をしているかのように聞こえて、僕はずっとニヤニヤワクワク、時にクスッと笑った。

彼は涙を誘わない、彼は怒りを煽らない。彼はひたすら夢中で語った。可愛い笑い顔を時折浮かべて。

誰がどのように話すかによるんだな。

西部邁さんにおれが起こしたテロの話をしたら「君は世が世ならヒトラーになってるねえーあはっはっ」と言われた。楽しい夜だった。

その1ヶ月後、僕はアメリカに3ヶ月だけ語学とコメディを知る旅に出た。

その行きの羽田空港でマネージャーからだったか、ネットニュースだったか、西部邁さんが亡くなった、自殺だ、という情報が入った。

2017年12月に対談をして2018年1月21日に自殺した。あんなキャピキャピと社会について語るおじさんが1ヶ月後には多摩川で自殺する。ずっと苦しかったんだろうが、ずっと目を輝かせて、子どもがロボットの話をするかのように、頭の痛くなるようなテーマを話してくれた。

彼から教えてもらった一番の学びは〝楽しさ〟だった。あなたにとっての政治は、おれがアメリカの笑いの話をするのと同じだったんだろう。好きなんだろうな。

そのまま羽田空港の本屋で西部さんの本を買った。それを飛行機の中で開いたら難しすぎて秒で寝てしまった。自分が文字の多い難しい本を読めないことを忘れていた。本じゃダメだ、西部さんと話さないと。

人と会って聞いて僕は考え、良いものなら漫才に持っていく。もう彼とは会えないが、僕もいつか怒りながらではなく、彼のように可愛く夢中に話せるようになりたい。


あれから2年以上経った。いろんな人たちから「西部邁さんは、『もう一度、村本さんと話したい、すごく目のキラキラした少年のような人だった』と言っていたらしいよ」と聞いた。

僕はすごくうれしかった。いまの時代はネットで調べたら、どこでその発言をしていたのかが出てくる。僕は「村本　西部邁　少年」と検索をした。

そこで出てきたのは西部邁さんが亡くなったときの僕のツイートだった。

「何というか目のキラキラした少年と話しているような、そんな人。また話したかった」とツイートしていた。それは僕の発言だった。

西部さんがおれに言ったわけではなく、おれが西部さんに向けて書いたツイートが、ネットニュースになっていて、それを見た人たちがちゃんと読みもせず、誤読して、それをたくさんの人たちが事実だと思って共有し、西部さんがこんなことを言っていたら

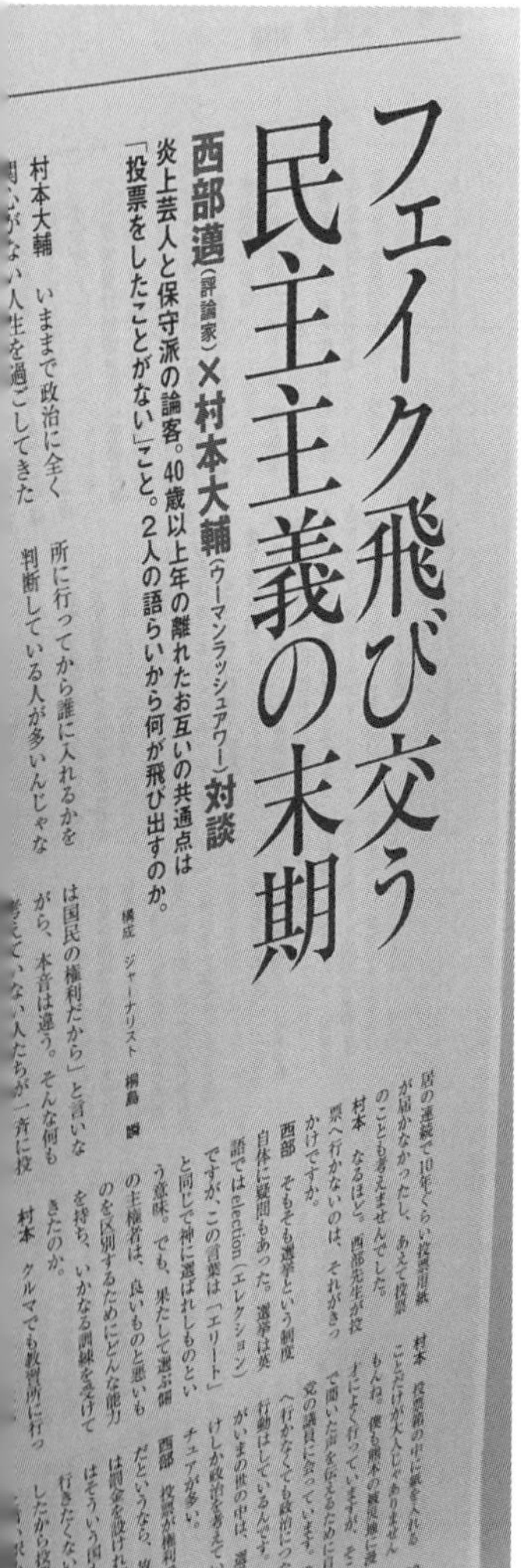

フェイク飛び交う民主主義の末期

西部邁（評論家）×村本大輔（ウーマンラッシュアワー）対談

炎上芸人と保守派の論客。40歳以上年の離れたお互いの共通点は「投票をしたことがない」こと。2人の語らいから何が飛び出すのか。

構成　ジャーナリスト　桐島　瞬

しいよ、と僕自身の発言を僕に言ってきていた。中には、テレビでコメンテーターをしている大学の先生もいた。可笑しいよな。

僕と西部さんの対談タイトルはこうだった。

西部邁×村本大輔「投票経験なし」対談　フェイク飛び交う民主主義の末期

西部さん、あなたが亡くなったあとも、彼らはずっとフェイクに騙されています。ダメですね、人間てのは。でも、このフェイクはうれしいので訂正しないでそのままにしておきます。

みんな言う割には、候補者の
約すら読んでいない人も多い。
西部 邁 僕、投票したことないから知らないんだけど、投票

「何やっても世の中は変わらないから行かないよ」と言う。テレビのインタビューでは「投票

西部 僕は最初の投票用紙が送られてきた20か21歳のとき、東京拘置所にいた。当時は東京大学の学生で、暴力革命を唱え、政治犯の被告として収監されていた。暴力といっても首相官邸や国会の門扉を壊した程度だったけど、確信犯だったからそんなやつが投票をするのは間尺に合わないと考えた。その後も転

生はどう思います？

西部 それ、僕も何度か言われたけど、ふざけるんじゃないと思う。いままで雑誌や講演なんかで政治に対する意見は言ってきたし、家庭でも酒場でもそう。つまり、政治参加は枯れ葉のように軽い一票を入れることだけじゃないんだ。

村本

バンカーで安倍さんすっ転んだ。「日米安保はどうなっているんだ！」（村本）

約3時間にわたって盛り上がった対談。西部邁さん（左）との白熱した議論に、村本大輔さん（右）は思わず身を乗り出して正座してしまった

人の代理人を決める。日
これでだいた

ジしていたのと全然違うと騒ぎになった。なぜ離脱票を入れたかというと、離脱のメリットを伝えるフェイク（虚偽）ニュースを信じてしまったからなんです。日本でもネット、携帯を開けばいろんなニュースが出てくる。中には偏ったものもあり、それを信じて国民投票で憲法改正への賛成票を入れてしまったら、イギリスと同じことにならないのか。

西部 「立派な憲法」をつくろうというのが本当の立憲なんですがね。デモクラシーなんぞ
代表者を選ぶための手続き
ぎないのですが、民衆の多
がアホなら代表者もアホ
ホな代表者はア

民衆をあおり
が起きる。デ
ということ
エイクニュ
が最悪の
を物語っ
そこか
ヒト
村本

迷彩服を脱いだやつから順番に撃たれる狂った社会

誰かが「普通のあなた」を「普通じゃない」に変えようとする。普通じゃないと言われたあなたは普通のふりをしてその中にいる。

同じは安心、違いは不安。違いに不安になる人たちに不安になり、僕たちは時々、迷彩服を着る。それが見つからないように。見つかると誰かに撃たれるから。襲撃されるから。

そんな話を、少し長くなるけど書いていきたい。

僕は高校を中退しているんだけど、僕の通っていた高校は福井県の水産高校の食品加工科というところで、誰かに「水産高校に通っていた」と言うと、いつも「水産高校って何すんの?」と興味津々に聞かれる。

水産高校では、嵐の日でも漁船が強風で流されないように港と船を強く結ぶロープの結び方を習った。水産保健みたいな授業もあって、そこではひらすらアニサキスというサバやイカに寄生する寄生虫のおそろしさについて学んだ記憶がある。

学校の敷地内には小さな工場もある。そこで魚を加工する授業もあった。そのため学校指定の作業着と白長靴が支給される。1年生のときに2年生の白長靴に「2F」と書かれていたので「え、2年生はFクラスまであるの？　人数多いな」と言ったら、先生に「それFOODのFね」と冷静に返された。

加工する魚はだいたいサバの缶詰だったと思う。当たり前だけど魚をさわると魚臭くなる。それはさすがに思春期の女子に申し訳ないと思ったのか、たまにパイナップルの缶詰やいちごジャムもつくった。

僕は「どっちにしても缶詰づくりだろう！　なんならそれはもう農業高校じゃないか！」とツッコんだけど、女子たちは「わーい、イチゴー、パイナップルー」と喜んでいた。

男子は1ヶ月間、神戸のハム工場に実習に行き、豚肉などを加工してハムづくりを勉強する。それこそ豚を加工し出したらもう農業高校じゃないのか？と思っていた。だけど「そこは水産高校なんだから魚肉でしょ‼」と抗議するような水産高校右翼などいいなかった。

水産高校の学校の校歌の歌い出しは「海の幸、海の幸」で、サビの部分は「土かぎりあり海かぎりなし」と、なぜか一回、土を貶す。それはもう農業高校へのアンチテーゼのように。

学園祭では工場でサバの缶詰をつくって近所の主婦に安く販売する。それを隣の学校の生徒に「刑務所みたい」とからかわれたりする。

特に女子は、小鯛の笹漬け工場に1週間実習に行く。おかげで実習が終わると、彼女たちからはお酢の匂いがする。ほかの学校の女子は香水やシャンプーの香りがするのに、僕らの学校の実習帰りの女子はお酢の匂いだ。中には、実習後に香水で一生懸命匂いを消そうとするやつもいたけど、消すどころか2つが合わさってお酢と香水の入り混じった最悪な匂いになっていた。

水産高校には海洋漁業科というクラスもあり、海洋漁業科の生徒は夏にマグロはえなわ漁をしに、ハワイへ遠洋漁業に行く。そこから帰ってきたらみんな日に焼けて真っ黒だ。女子生徒が他校の生徒からテニス部だと勘違いされ、「マグロはえなわ漁です」と言うと、マグロはえなわ漁焼けだね、と笑われていた。

「水産高校あるある」もたくさんできた。海沿いに学校があるから生徒の自転車は2年になる頃には錆(さ)びているとか、父親が漁師をやっている生徒もいて、漁師の朝はめちゃくちゃ早いから、親にバレないように朝帰りするにはだいぶ早くないと見つかってしまうとか。だから、ほぼ深夜に帰ることを朝帰りと言っていた。

テレビの中の学園モノのドラマや漫画とはかけ離れすぎていて、何度もあの中の世界に憧れた。スタジオジブリの『耳をすませば』を何度も観ては、自分たちの学校生活と比較して落ち込んだ。あの世界はすごくキラキラしている。うまく説明できないけど、あの中に憧れる。

しかし、なんで16歳の僕が漁師になりたいわけでもないのに、漁船を繋ぐロープの結び方を勉強せなあかんのや、そもそもなんやアニサキスって、と一度我慢の限界がきて、放課後、同級生たちと中庭みたいなところで雑談しているときに「おい、みんな、気づけ、ここでやってることに何の意味があるんだ、おれたちはあいつらに騙されてるんだ!!」と立ち上がり、職員室を指差したら、「それよりあんたの指の先っぽに、昼の実習でさばいた魚の鱗(うろこ)ついてるで」と女子に言われて、シクシク泣きながら走って家に帰った。

僕は「ほかと比べてもしょうがない。ここは普通の学校だ。僕らは普通の高校生活を送っている」と自分に言い聞かせて納得させていた。

しかしある日、とんでもないことに気づいてしまった。隣の学校に「普通科」を見つけてしまった。見つけちゃいけない言葉だった。

普通科って何？

ということは、こっちは普通じゃないのか？

いや、普通じゃないことはうっすらとわかっていたけど。

だからといって、普通と名乗っちゃうのおかしくない？と僕は完全に「普通」という言葉に囚われた。

その話を、よく行くうちの近所のジャズバーの店員さんに話したことがある。彼女は20代後半の黒人の女の子なんだけど、10代の頃に日本に来ているから日本語はすごくうまい。

おれの〝普通科〟の話をしたらすごく共感してくれて「わたしも日本に来たときに、クレヨンの肌色を見て驚いた。わたしの肌は肌の色じゃないのかと。肌色は黒色だったり、茶色だったり、白色だったりする」と彼女は熱弁した。

おれは心の中で「この子、たぶん気を遣って黄色って言わへんやん」と思ったけど、彼女のその話の破壊力が抜群すぎて、いつの間にか、おれの普通科の話がいたって普通すぎる話になっていた。


思えば、幼少期から〝普通〟を求めていた。

僕の両親はあまり仲が良くなかった。喧嘩ばかりしていた。僕を23歳くらいで産んだから、親もまだ若かったし、自由だった。だから親が親を演じなかった。

たとえばクリスマスの親は、子どものためにサンタという夢に仮装する。でも、僕にはそんな思い出はない。

唯一覚えているのは、子どもの頃のクリスマスの朝、玄関にラジコンが置かれていたことだ。それはそれは無造作に。はっきり覚えていないけど、父か母が「だいすけ、ラジコンが玄関に」と言ったような記憶がある。なんとなくだけど。

しかし、そのラジコンには「たかし」だったか「たけし」だったか、誰か知らないやつの名前が書かれていた。

おれは、その頃、夢見る少年だった。おれが眠ったあと、タンスや机などが動き出して話し出し、踊ったりすると思っていた。小学校低学年のときには、寝る前に家具ひとつひとつに「おやすみなさい、踊ってもいいけど踏まないでね」とお願いしていたくらいだ。だからラジコンに「たかし」みたいな名前を見つけたときは、おそらくサンタクロースの名前だと思った。でも、親にそれを言ったら「友達のお兄ちゃんのいらなくなったやつをもらった」と言われた。

親がこんな感じだったからか、僕は現実を見すぎた。同時に強く夢見るようにもなった。

小学校の頃は、夏休み明けの学校が嫌だった。夏休み明けの学校は、同級生たちが「どこどこに行った」と楽しそうに話していて、親の仲が悪く、旅行にあまり行ったことのない僕は話に入れないからだ。

かわいそうなやつだと思われてしまうんじゃないかと、子どもながらに不安になり、仲が良い家族を偽っていたような気がする。みんなと同じ空気を装った。

最近、小学校の同級生と久しぶりに会ってその話をした。

すると、そいつは「え、お前の家ってそうだったの⁉　そんなふうには見えなかった」と驚いていた。

そして彼は言った。

「おれの家族はとても仲が悪くて、旅行にも行ったことがなかった。でも夏休み明けにお前が楽しそうに旅行の話をするから、おれだけ行ってなくてかわいそうと思われたくなくて、おれもみんなと同じような顔してたよ」と。

僕はこのとき、知った。僕が演じることによって、それを見た違う誰かが演じる。

あの中の果たして何人が演じていたんだろう。あのとき、撃たれないように迷彩服を着ていたのは僕だけじゃなかった。

そのときの体験から、子どもも迷彩服を着るとわかった。大人はそれを着なれているだけなんだろう。


3年ほど前にも、強く〝普通〟について考えさせられたことがあった。

広島県の尾道市で独演会をやったとき、終わったあとにスタッフたちと尾道の街を歩いていると「さっきの独演会に行ってました」という女性と会った。

彼女は広島市内から尾道までわざわざ1時間かけて独演会のためだけに来たみたいで、それ以外予定がなく、いまから何をしたらいいかわからないと言うので、打ち上げに誘ってみんなで軽くご飯を食べた。そのときその子は、僕にとって普通の20代の女の子だった。

その数ヶ月後、福岡で独演会をやったら、また彼女が来てくれた。聞くと、広島から福岡まで新幹線で僕の独演会のためだけに来てくれたという。今回も予定がないと言うから、せっかくだからと再び打ち上げに誘った。

福岡の夜ということもあり、おいしいご飯にお酒も進み、夜も深くなってきた。

そして議論は白熱し、彼女は迷彩服を脱ぎ捨てた。

勇気を出したのか、おれのことを撃たないやつだと信じて安心してくれたのか、彼女は自分のことを話し出した。

「わたしは孤児院育ちだ」と。

彼女は小学2年生まで広島の孤児院で育ったらしく、ずっとその近くの小学校に通っていた。その小学校は孤児院から近かったから、同じ施設の子どもたちも多く通っていた。孤児院出身でも特別浮くこともなく、ここでは当たり前にいる〝普通〟の存在だったという。

しかし、小学2年生のときに転校することになった。離れた祖母のところに引き取られ、祖母の家の近くの公立小学校に転校した。そこでは孤児院出身は彼女だけだった。

そんなある日、事件が起きた。彼女の担任の先生が道徳の授業中に、いきなり彼女を指して「○○さんは、お父さんとお母さんがいません」と言い出した。

先生は「彼女には優しくしましょう」とか「それに対してみなさんはどう思うかな？」と言い出し、「彼女にご両親がいないことについて、みなさんはどう思いますか」というテーマで授業が行われた。

いままでの彼女の〝普通〟は、教師によって〝特別なもの〟にされた。自分の普通だったものが誰かによって特別化された瞬間。しかもそれをやったのは教師。しかも道徳の授業で。

彼女は、道徳の教師によって道徳を教えるための犠牲になった。道徳を教えるために犠牲者がいるなら、それはもう一番非道徳な道徳の授業だ。彼女は当時を振り返り、あれはもう地獄であり公開処刑だった、晒し者だったと言っていた。

先生が「彼女の境遇をどう思いますか？」と質問すると、生徒たちは決まって「かわいそうだと思いました」「優しくしてあげるべきだと思いました」と言った。そのときの授業のまとめは「寂しい思いをしているので、みなさん優しくしましょうね」だったらしい。

彼女は言った。「いままで普通に接していたクラスメイトが、その授業のあとから嘘のように優しくなり、子どもながらにめっちゃ気を遣われていると思った」と。いままでどおりの普通がいい。特別ではなく普通に接してほしい。なぜならわたしにとって、わたしは普通だから。そう思ったそうだ。特別な扱いに変えられることが本当に嫌だったのだろう。

毎年ある「父の日」「母の日」でも、自分は「違う」んだ、マイノリティなんだ、普通じゃないんだと実感させられたという。「父の日、母の日」に関する作文の時間が苦痛でしかたがなかったという。書く相手がいない彼女は一人、漢字ドリルをやらされていた。

たしかに、父の日、母の日を学校に持ち込まれたら、父や母がいない子どもたちにとっては劣等感を植え付けられる暴力的な日でしかない。みんなにあるものがわたしにはないんだと実感させられる日、だ。

彼女は、地元の中学校にあえて行かず、小学校のときの自分を知る人が一人もいない場所へ行った。それからは父と母がいる設定で生きているらしい。いまも、職場や友達にすら親がいないことを言っていないという。

彼女はこう言った。

「あの道徳観のない先生が、まだ道徳の先生をやっているかが気になります笑」と。

誰かが〝普通のあなた〟を〝普通じゃない〟に変えようとする。

それなら僕はあなたの〝普通じゃない〟を〝面白い〟に変える。その経験は本当に面白いからだ。それはfunnyの面白いではない。あれには滑稽(こっけい)という意味も含まれている。interestingだ。それはとても素晴らしい経験で、素晴らしく価値のあるものだ。違いは興味深い学びだ。

僕の友達の、〝僕と違う彼ら〟もとても面白い。

たとえば、僕の芸人の友達に、元女性で中身は男性の芸人がいる。

ある日、彼が「なあなあ、だいちゃん、チンチンの写真撮らせて」と言ってきたので「なんでよ!?」と言うと「おれ、チンチンがないから、いろんな人のチンチンの写真を撮らせてもらって、朝その写真を見て『今日はこのチンチンで行く』とチンチンが付いてるつもりでその日を過ごすんだ」と言っていた。

孤児院育ちの彼女だって、そのときそのときに応じて、架空の両親をつくっている。「いまのわたしのお父さんは木村拓哉似で、お母さんは工藤静香似です」と言っていた。彼らはもう楽しみ出している。

みんな違ってみんないい、という言葉があるが、僕はみんな違ってみんな面白いと思っている。

僕も20代の頃は、水産高校の話をあまり人に話さなかった。でも、芸人になって誰かにそれをたまたま話したときに「めっちゃおもろいやん」と褒められた。笑えるのと興味深いの、2つの面白さがあると。

違いに対して「面白いねー」とリスペクトを込めて言われると「え、この迷彩服脱いでもいいのかな」と思わされる。

「カミングアウトは、カミングアウトという言葉を使わせる空気が悪い。カミングアウトってなんだ？　自分がゲイだと、レズだと、在日だと当たり前に言える社会こそが健全なわけなのに」

僕のこのネタは、独演会に来てくれた人たちの迷彩服を脱がせる。

滋賀では「わたしはレズです、楽になりました」と言ってくれた人がいた。大阪ではゲイの人が声をかけてくれて「ゲイなんですが、来てよかった」と言ってくれた。名古屋では、「実は僕、在日です」と晴れやかな顔で話してくれた。

いつかは、迷彩服を着ないで過ごせる〝普通〟の世の中になることを願う。

それを暴く実験

クリスチャンは、キリストの言葉、キリストの弟子の言葉だから信じる。それがおれの言葉ならスルーされる。

福井から大阪に18歳で出てきた僕は、大阪人による、関西人による洗礼を受ける。関西人てやつはお笑いマウンティングゴリラが多い。知らない人もいると思うが〝福井〟という場所は関西圏ではない。けど大阪から近い。大阪、京都、その隣に福井がある。滋賀の隣でもある。関西圏からギリ漏れている福井。

福井は北陸なのに、福井にある原発は関西電力。大阪様に電気を納めさせてもらっている。大阪が食の台所なら福井は原発だらけ。プルトニウムの台所だ。大阪では京都、神戸は一目置かれる。福井は少し軽視されている。

これを読んでいるあなたたちも思うだろう。大阪出身の芸人はなんか面白そうと期待するけど、福井出身の芸人と聞いたら、芋臭い地味で無口な男が無理してお笑いをやっていそうだと。

福井はよくマウンティングされる。関西圏のやつらは、すぐに歴史を出してくる。大阪のやつは大阪城を持ち出し、安土桃山時代の豊臣秀吉の話をして、いかにすごいかマウントを取ろうとしてくる。

京都のやつも、昔の都はおれたちだったと平安京を持ち出し、マウントを取ろうとしてくる。そこで急にドヤ顔で現れるのは奈良のやつだ。待ってました！と言わんばかりの顔で、平城京、飛鳥時代の聖徳太子の話をしてくる。

遡（さかのぼ）り合いっこなら、福井は恐竜の骨が日本で一番出ている。過去を遡ってどこが一番すごいかを話すなら、恐竜が栄えていた福井が一番だ。


関西における一番のマウントは〝笑い〟だ。福井出身の僕は、「関西の人間、笑いに厳しいからそんなんで笑わへんで」と、何度言われ続けてきたか。しかもそういうことを言ってくるやつに限って面白くないやつが多い。

お笑い芸人を目指して福井から出てきたての僕は、その「大阪人おもろいでハラスメント」にあい続けた。何でもいいけど、最近、何でもかんでも、されて腹立つことに「ハラスメント」を付けるブームがある。それに不快な人は「ハラスメントハラスメント」ができそうな気がする。

まあ、そんなことはどうでもいいんだけど、とにかく、関西人てやつはセンスがないくせに〝おもろいっしゃろー〟みたいな顔をしてくる。特に、下積みをしているときの売れない芸人は格好の餌食(えじき)だ。それが福井出身なら、なおのことターゲットになる。頭には毎回「大阪人から言わせるとー」がもれなく付いてくる。

バイト先のクソおもんない年上大阪人からも「村本くん、大阪人から言わせると、ちょっとボケ甘いなー」なんて言葉をよく浴(あ)びせられたものだ。

だからといってそれを言ってくるやつが面白いわけじゃない。彼はいつもすべっていたけど、笑わなダメな空気をつくる。「わい、おもろいでしょー」の圧力に、僕は顔を引きつらせながら笑ったふりをしていた。

彼の口癖は「僕ら関西人からしたら、ダウンタウンは神様やからなー」だ。「ダウンタウン見て勉強しーや」「村本くん、全然あかん、大阪人そんなんで笑わへんでー」とノイローゼになるくらい、このテンプレートを使い回してくる。

僕はある日、僕が舞台ですべったネタをダウンタウンの松本さんが言っていたということにして彼に話した。

「〇〇さん、この前のダウンタウンさんの番組見ました？　あ、見てないんすか、あれやばかったですよ、めっちゃ笑った。松本さんがね、あーでこーで、こんなこと言ってたんですよ」と言ったら、彼は「やばっ！！！　さすがまっちゃん！　これぞまっちゃんの笑いって感じやな。あかん、おもろすぎる。村本くんもいつかああならなあかんで」と言った。

彼は、僕の「ネタ」ではなく「僕」を見ていて、ダウンタウンさんの「ネタ」ではなく「ダウンタウン」さんを見ていた。

これを人に話すとなんでそんなことをするの？と言われる。なぜ、僕のネタを松本さんのネタと言って話したんだ、と。

これは〝実験〟だ。僕は会話の中で実験をする。ここにこのボールを当てたら、彼はどんな反応をするんだろうと。そしてその実験は思った通りだった。

そのバイト先の大阪人が「村本くん、お好み焼きどこが一番好き？」と言ってきたこともあった。僕がとある店を答えると、彼は「あかんなー、あそこうまないやろー！

大阪人、お好み焼きにはうるさいでー。おれが一番好きなのは○○やで、あそこはまじでやばい。だって芸能人のサインたくさんあるもん。たしか、モーニング娘の高橋愛のサインあったと思うで」と言った。

具体的な料理の話ではなく、すぐに芸能人のサインを出してくるあたり、そして一番の皮肉は、高橋愛さんは福井県出身だということだ。

ついでに言うと、芸能人にサインを書かせるラーメン屋はひどい。お願いされたら「おいしかった」の選択肢しかないからだ。宣伝の強要。でも彼らはそこまで考えていない。

昔、店に入ると同時に「サイン書いてもらえますか？　貼りたいんで」と食べる前に色紙を渡されたので、「食べる前に書かされました」と色紙に書いたことがある。すると大笑いして「さすが芸人さんですねー」とか言い出したので、何も考えてないんだろうなと思った。

一番ひどいのはクソまずいラーメン屋にサインを書かされるときだ。まずすぎて、おれの舌まで疑われるから、そんなときは「美味しすぎました、ウーマンラッシュアワー中川パラダイス」と相方の名前を書くことにしている（すまんパラダイス）。

世の中には「〇〇が言っているから正しい」と思わせてしまうトリックがたくさんある。

Ｍ－１グランプリなんかもそうだ。ダウンタウン松本さんが褒めたから、島田紳助さんが褒めたから、上沼恵美子さんが褒めたから、と〇〇が褒めたからといって仕事が増える。おれも島田紳助さんが漫才を褒めてくれて仕事が増えた。

そのあと、いろんなネタ番組から、出演してくれ、紳助さんが褒めたあのネタをやってくれ、とオファーがあった。

おかしな話だ。僕はその番組のオーディションを受けて落とされている。しかもそのネタは、紳助さんが褒めてくれたネタだ。落としたネタを紳助さんが褒めたからといって「はい、テレビでやってくれ」とは、なんて薄っぺらいやつらなんだろう。

フジテレビのＴＨＥ ＭＡＮＺＡＩに優勝したあとに、「エンタの神様」からもあのネタをしてくれとオファーがあった。その優勝したネタで、エンタの神様のオーディションを落とされたことがあるのを知らないのか？　ということは、エンタの出演者を決める作家なんてその程度のやつらだ。

あと、クソなのは「情熱大陸」だ。フジテレビのＴＨＥ ＭＡＮＺＡＩ以降に、出演オファーが来た。制作会社がカメラを回しに来てくれた。おれの密着ってやつだ。

でも、1回の密着でおれの企画はボツにされた。理由は、僕が「朝まで生テレビ」で、「自衛隊員が殺されるくらいなら尖閣諸島をあげてもいい」なんてことを発言したからだ。

「尖閣諸島をあげてもいい」だけが切り抜かれて炎上し、街宣車が僕の名前を叫びながら走ったことで、情熱大陸のスタッフ側が、あいつやべーみたいになって密着は打ち切られた。

おれは思った。情熱大陸のスタッフ、それくらいの情熱で仕事するんじゃない、と。


〝実験〟の話に戻そう。

「朝まで生テレビ」に出たあとの話だ。飲んでいた居酒屋の店長さんに「村本さんと話したいというお客さんが奥の席にいまして」と言われた。

聞けば、その人は本も出している有名な大学教授らしく、テレビでコメンテーターなどもしていると聞いた。

僕はテレビを見ないので知らなかったんだけど、少しおじいちゃんで、足が悪いと聞き、僕のほうから挨拶させてもらおうと奥の席に行った。そこには70歳近いおじいさんがいて、僕はてっきり、しゃべりたいんだからファンだろうと思い込んでいた。だけど、「君、朝まで生テレビ見たけど、あれは酷いよ！」と説教から始まった。「しゃべりたい」と呼ばれた場合の相場はだいたい求愛だと思っていたが、このじいさんは怒りから始まった。

「君ね、もう少し勉強したまえ。そもそも、影響力のある人間が、テレビで尖閣をあげてもいいとか――」と老人なのに、おれ以上のマシンガントークで責め立ててきた。

僕は「いや、でも、僕は知識人として出てるわけではないんで、そこで何を発言しようが自由だと思ってます。だからあそこには学者たちがいて、それは違うとツッコミを入れるでしょう。テレビをつくる人間は役割を決めて、あの場所に出しています。責められるべきは僕ではなく、僕をブッキングした人たちでしょう！」

「君は何を言っとるんだね！　もっと本を読んで、勉強しなさい！」

案内した店長の顔が、まさかの展開にみるみる青くなっていく。

おれもそのじいさんも感情剝き出しで、互いに耳はシャッターを閉じ、口だけは大きく開け、互いのシャッターを力ずくでこじ開けようとする不毛な時間。

そのときに、僕は〝実験〟を仕掛けたくなった。

僕は言った。

「哲学者、アリンポ・テレスはこう言ってるじゃないですか。〝すべての国民の口を塞ぐのは政府だけ、国民は口を開かせ合わねばならぬ〟と」

もちろんそんなアリンポ・テレスなんてやつはいない。僕がその場でつくった架空の人物でそんな言葉も知らない。これは〝実験〟だ。

すると彼は「私が言ってるのはそんなことではない、テレビでそんな無責任な発言をするなと言ってるんだ！」と言ってきたので、「でも、アリンポは……！」と言うと、また彼は「そんなことを言ってはいない。影響力のある人間がそんなことを……」と言うので、また食い気味に「でもアリンポは!!」と言ったら、その教授は声を荒げて「彼の生きてきた時代とは違うんだ！！！」と言った。

実験成功。彼は知らないことを知らないと言えないということがわかった。

知らないことを知らないと言えない人たちがいる。日本には多すぎる。

だから、政治的な意見をしないんだろう。知らないやつだと言われるのが恥ずかしいから。無知が恥ずかしいんだ。

おれが過去に出たニュース番組の話だ。そのときは北朝鮮とアメリカがバチバチ争っていた。核ミサイルを持つという北朝鮮と、持たせたくないアメリカ。そのテーマで、専門家たちがスタジオで激論を繰り広げる。

専門家たちは「おそらくこうだろう」のはずなのに、次第に「おそらく」と「だろう」を省き出す。「彼らはこうだ」と断定し出す。これがタチが悪い。

断定したコメンテーターの言葉を視聴者の大人たちが見て「専門家の○○が北朝鮮はこうだと言っていた」と、「だろう」を省いて、北朝鮮はこうだと断定し出す。○○だろうは、人を介すと事実のように語られる。

その番組では、ある専門家と名乗るやつが「北朝鮮の金正恩は心の奥底ではこう思っている」と言い出した。

僕は「先生、いつ金正恩の心の奥底がわかるようになったんですか?」と聞いた。

すると彼は、「金正恩の、金一族のいままでの言動を見ればわかる!」と感情的になった。僕はいろいろと思った。いや、その言動は、日本のニュース、つまりアンチ北朝鮮目線のニュースで流れてくる金正恩の行動なわけで、北朝鮮のニュースで流れる金一族の言動はまた別でしょ、と。

しかしそれをもし言ったら、北朝鮮は独裁だからいいニュースしか流さない、と言うだろう。それを言われると僕もまた、それは日本で流されている北朝鮮ですよね、と言ってしまう。だからめんどくさくて、さすが先生ですね、と話を終わらせた。

違う日にその専門家は違う番組で「村本くんにこの話をしたら、さすが先生、と言ってくれたんですよー」とほかの出演者に話していて、僕は「え、おれの心の奥底ですらわかってねーじゃねーか、こいつ」と思った。

「知らない」「知らないから教えてくれ」「それはなんでそうなるんだ」と言えることの強さ。彼らはどこまで「知らない」と言えないのか。質問に答えず、知っている違う話をするのか。

それは彼らと話すとよくわかる。「朝まで生テレビ」に出たときも「ごめんね、本当は私たちも知らないからちゃんと答えられないのよ」と、カメラの外では、僕の純粋さに心を許し、本当のことを言ってくる。

あるとき、早稲田大学で講演を依頼された。「たくましい知性を鍛える」というテーマだった。僕はああいうのが嫌いだ。大学生のああいうのが。

でも僕は、子どものときに賢いと思っていたやつらすら落ちる、その大学に行く彼らの声を聞きたいと思い、その仕事を快諾した。

僕は知らないことを知らないと言えない大人たち、専門家たちの悲劇について話した。知らないことは楽しいこと、知ることは知らないことへの始まりだ。彼らは知らないと言えない。彼らは大人の着ぐるみを、専門家の着ぐるみを着て話してくる。騙されるな、と60分くらい熱弁した。

講演後に学生たちが追いかけてきて、僕のことを「村本先生」と呼び出した。純粋な真っ直ぐな目で、村本先生、感動しました、と。

僕は、おれみたいなバカを、彼らのようなしっかりと学んできた人間が先生と呼ぶなんて、と感動した。

彼らはこう言った「村本先生！　いまの学生はソフィストを自称するものばかり！　彼らは真理の探究よりも、いかに相手を論破するかという詭弁に陥る、プロタゴラスを批判するソクラテスのようです！」と言ってきた。

ソフィストもプロタゴラスも、何のことかわからなかった。パソコンの用語か何かだと思った。

しかし、先生と言われたら僕はこう言うしかなかった。

「まさにそうなんだよ‼」

僕は先生の着ぐるみを着て、知ったかぶりをした。

あのときの髪の長い男子大学生よ、僕は何も知らないんだよ。

また教えてくれ、ソフィなんちゃらと、プロタゴなんちゃらについて。

誰もがスタンドアップコメディができる

ロサンゼルスのコメディクラブの支配人は、こう言っていたらしい。

「うちの劇場に出すやつは、何か言いたいことがあるやつだけだ」と。

おれは思った。「何か言いたいことがあるやつ」ってどんなやつだ？

アメリカにはスタンドアップコメディといって、マイク一本で好き放題言いたいことを話すコメディスタイルがある。アメリカ中の酒場なんかに小さなステージがあって、そこでは毎日、芸人がスタンドアップコメディをやっている。

素人でも気軽に参加できるオープンマイクというのもあって、コメディアンを目指す人から、趣味でやりたい人まで、誰でも舞台に立てる。会場である酒場は、参加費とドリンク代で生計を立てている。

友達が観に行ったときは、おそらくスーパーの買い物帰りの主婦が、買い物袋を片手にひたすら旦那の悪口だけを叫んで、気持ち良さそうな顔をして去っていったという。

彼女は別にそれでご飯を食べてはいない。思ったことを言いにきているだけだ。同じ話を2回やってくれと言われたなら、それはネタになり、叫びではなくなる。

最近の僕の漫才も、ネタ合わせをしない。いつもやっているやつってこともあるんだけど、新しいネタをやるときも、いちいち相方のパラダイスと合わせない。

それは、おれが言いたいことだからだ。言いたいことに練習は必要ない。舞台の上で、そのときの気分でそれを言って、そのあとウケるように仕上げていく。

練習というのは〝ネタ〟にしていく作業だ。ネタになると自分たちとお客さんが安心できる、安定のネタになる。

でも、ネタは所詮ネタだ。大事なのは不安定さを保つこと。緊張させ続けることが大事だ。これネタなのか？　マジなのか？　このバランスが大切だと思っている。

でもそれも、続けるとネタになり、ネタになると笑いはとれるけど、それ以上にはならない。安心して観られる漫才、というクソみたいな肩書きがつく。おれは安心して観られる漫才師より、不安定で、時にこいつ本気だ、と怖くなるような漫才師、いや表現者でありたい。

買い物袋を持ったおばちゃんのような素人のほうが、1回きりで生々しい。再び彼女が出て、前に言った叫びを、丁寧に、コンパクトに上手にしゃべりだしたら冷める。

岡本太郎の『壁を破る言葉』の中に、こんな言葉がある。
「無経験の素人でも、感覚と言いたいことがあれば、いつでも芸術家になれる。何を言いたいのか、それが自分ではっきり掴めていないから、表現に迷う。肝心なのはモチーフだ。」

この定義で言うと、日本にはたくさんの芸術家がいる。本物のコメディアンがいる。
僕は探した。「何か言いたいことがあるやつ」を。「この1回きり、自分の言いたいことを世界中に聞かせられるとしたら、あなたは何を言いますか?」という定義のもと、人を探した。僕は、彼らを集めてライブをやることになる。

吉本に鈴本ちえちゃんという芸人がいる。彼女は軽度の脳性麻痺で、いつも足を引きずりながら歩いている。彼女と会ったときに、こんな話を聞いた。
「この前わたしがバスに乗ったとき、おばちゃんたちが集まってきて、こう言うんです。

『えー、どうしたのー？　かわいそうにー代われるものなら代わってあげたい』と」

ちえちゃんはいつもそんなとき、こう思うらしい。

「そもそもお前らと代わりたくはない」

僕はその話を聞いて心の中で「That's right!」（その通り）と叫んだ。面白い意見やクリティカルな意見は、つい思わず「That's right!!!」と叫んでしまう。「That's right!!」か「Cooooool」（かっこいい）だ。僕はこんな人たちを集めてライブをやろうと決めた。

こんな人たちというのは、カウンターパンチを打てる人たちだ。

「世間がわたしにこう言う。だからわたしは、お前らにこう言ってやる」

そんなスタイルのコメディを求めていた。

ところで話はそれるが、日本では「cool＝寒い」で、寒いっていうのはすべったときに「寒っ」という感じでも使われる。アメリカとは逆だなと、いまこれを書いていて思った。

あ、そうだ。まだ大事な人がいた。僕の友達で平松さんというおじさんがいる。彼は名古屋に住んでいる。この人はcoolな人だ。かっこいいという意味で。

彼は癌だ。この前、久しぶりに検診に行ったらしい。僕が「どうでした⁉」と聞くと

「大きくなっていました」と返された。そのとき、一緒に飲んでいた友達は一気に静まり返った。平松さんは明るい人だから、この場をなんとかしようと思ったのだろう。こう言った。

「エッチなことばかり考えていたら、大きくなっちゃいました」

僕はもうCooool を連発した。nice ジョーク。

こんなときに感傷にひたり、悲壮感を漂わせてくるやつがたまにいるけど、ああいうのはこっちのエネルギーが奪われてしんどい。平松さんを見て、これぞ人間の強さだと思った。

彼は本当に落ち込んでいた。なぜなら最近は、「明るいね」「元気だね」「若々しくなったね」と言われていたので、彼自身、もしかしたら癌が小さくなっているんじゃないかと期待していたからだ。それが大きくなっていると言われたのだから、彼が一番傷ついただろう。それでも、その場の空気を明るくするために、そんなジョークを言ったのだ。

「エッチなこと考えていたら大きくなった」は、マジで素晴らしい。

僕は平松さんに「スタンドアップコメディやる?」と聞いた。ステージの上で好き放題しゃべっていい、笑いなんかいらない、好きにしゃべってくれればと伝えたら、平松さんは「僕でよければ、村本さんが喜ぶなら」と言ってそのライブに出てくれることになった。

ほかの仕事でも、癌のおっさんと知り合った。野上さんという新聞記者だ。書かずに死ねるか、みたいな記事を書いて本にもなった。

彼は膵臓癌だ。おれは彼にも「スタンドアップコメディやる?」と聞いた。彼は真面目な人間なので最初は戸惑っていたけど、人前で伝えたいことを伝えられると知って、出演することにしてくれた。

おれは悪いやつだ。わざと〝癌かぶり〟にした。そのほうが癌に頼らず、よりパーソナルな話をしてくれそうな気がしたからだ。

ちなみに、先にオチを言っておくと、この二人はのちのライブですべる。かっこつけのプライドの高いおじさんだから、かっこつけて話して、いい話をしようとして、変な足のくじき方をする。笑

面白いやつらが揃ってきた。脳性麻痺のちえちゃんの「そもそもお前とは代わりたくない」という話だけでも素晴らしいパンチ力がある。

あとは誰だろうと考えていたら、熊本の西原村で熊本地震の被害を受けた女性と知り合った。「被災者として、スタンドアップコメディやる？　怒りぶちまけちゃう？」と聞くと「言ってやりますよ」と言うので彼女も出演することになった。

僕の親友のシングルマザーにも声をかけた。彼女はシングルマザーのつらさを知っている。子どもを育てるためには金がいる。金がいるからキャバクラで働く。そこで働くと夜は子どもと一緒にいられない。夜に一緒にいるためには、昼間、風俗で働くしかない。だから彼女は風俗で働く。

彼女の話は面白い。おれが、こんなことがあって傷ついた、という話をしたら「あんたさー、デリバリーでチェンジされたつらさに比べたら、あんたのつらさなんてへっちゃらよ！」と言ってくる。

「あれは地獄だったわ。チェンジされて店長に電話してチェンジされましたって言ったら、店長が『人が足りないから髪をくくってもう一度行ってこい』って」

結局、髪を結んで、別人を装ってもう一回行ったら「おまえさっきのやつだろ」と言われたらしい。「あの屈辱に比べたらマシよマシ！」と僕に言ってくる。

彼女はそのあと、ストレスが溜（た）まっていたらしく、気づいたら過剰に薬を飲んでしまい精神科病院に運ばれる。そのときに出会った患者たちの話も、それはもう爆笑の話に仕上げて話してくれる。「その話のままでいいから、それを話してくれない？」とお願いし、彼女もステージにあがることになった。

トランスジェンダーの元女性の男性にも会った。杉山文野（ふみの）さんだ。彼とは面白い出会いで、一度、とんねるずの石橋貴明さんがゲイをネタにして炎上し、それに杉山文野さんが記事を書いた。理解してほしい、みたいな記事だ。

それをツイッターで読んだ僕が「みんな苦しいんだ、自分ばかりがつらいみたいに言うんじゃない」とか、何の理解もない発言をツイッターに書いて、それで次は僕が炎上し、結果的に杉山さんと番組で生討論することになって仲良くなった。

彼はよく「女子高生がおじさんになっちゃいました」と言っていて、それが面白かったので、彼にもスタンドアップコメディをやってもらうことにした。

吃音症（きつおん）の本多君にも声をかけた。彼とも番組で知り合った。吃音症は「どもり」とか言われていて、いつもの「おはようございます」ひとつとっても、緊張すると「お、お、お、お、お、おはよう、ござ、ざ、い、ま、ま、ま、す」となる。そのせいで就職できないと彼は嘆いていた。

しかも彼は、皮肉にも営業の仕事をしたいらしく、交渉のときにどもったら何も伝わらなくなるからと、よく面接で落とされていた。

彼もすごく面白くて、スタンドアップコメディをやってほしいと話したら、最初は乗り気ではなかったけど、やってくれることになった。

見た目問題に取り組んでいる素敵な兄弟がいることも思い出した。ＮＰＯ法人で、顔に大きなあざがある人や、トリーチャーコリンズ症候群という顔の病で苦しんでいる人たちを支援している二人だ。

トリーチャーコリンズについては説明が難しいので、これを読んでいる人はググってほしい。その二人に、トリーチャーコリンズの辻西君を紹介してもらい、彼にも出てもらうことになった。


このメンバーにスタンドアップコメディをしてもらうことになった。チケットは即完売。素人ばかりのライブなのにだ。

それはお客さんが、つくられた笑いよりも本当の声を聞きたかったからだろう。それで笑えたらうれしいし、笑えなくても貴重な声を聞ける。だから完売したんだと思う。

しょっぱなから脳性麻痺のちえちゃんが爆笑をとる。彼女の脳性麻痺の経験はめちゃくちゃ面白い。階段は降りられるけど、好みの男がヘルプしてくれるときは、足が悪くて降りられないフリをして手を繋いでもらう、とか言っていて最高に可愛かった。

そのライブの前に、僕はちえちゃんに話していたことがあった。

ちえちゃんのお父さんは自殺している。借金かなんかで。ちえちゃんはそんなお父さんを許せないという。僕はちえちゃんに「もし気持ちがのったら、その話をしてみてよ」と伝えていた。僕は、笑いはトラウマからの解放で、誰かに笑ってもらえると苦しかった自分が解放され、楽になると信じているからだ。

ちえちゃんは爆笑をとりながら、急に声を詰まらせ始めた。そしていきなり、話し出した。

「わたしの父は自殺してます」

空気が一気に変わった。緊張が張り詰めた。ちえちゃんは泣きながらお父さんの悪口を言い続けた。でも、それには愛が感じられた。あぁお父さん好きなんだなぁって。ずっとそれを感じた。

客席には涙を流している人がたくさんいた。けど、みんな笑っていた。つい笑っていた。こんな悲しい話なのに笑える温かさがあった。ちえちゃんは素晴らしいコメディアンだ。

それを聞いて客席で号泣しているやつがいた。僕の友達だった。彼もお父さんを自殺で亡くしている。おれは客席に降りて彼にマイクを渡した。余計なお世話かもしれないが、さっきも言ったように、僕はコメディがトラウマを安らかに眠らせる力を持っていると思っている。

彼はマイクを握ってお父さんの話をした。彼は泣きながら話してくれた。淡々と事実を話した。なんだかよくわからないけど、会場の空気は心地よいものだった。

次は被災者の女性だ。「よく、大変だったねと言われるが、いまも大変だわ！」からの「被災地に来て、ボランティアしに来たふうで写真だけ撮ってすぐに帰る芸能人がいる！」と怒りだした。

ブログに書きたいだけのために被災地に来て、あとでブログに書きたいから、「あの場所どうなってんだっけ？」と連絡してきたらしい。僕が「名前は？」と聞いたら、速攻、名前を実名で暴露してくれた。超有名ミュージシャンだ。客席は爆笑に包まれた。

シングルマザーの彼女も爆笑をとり、癌のおじさん二人は会社でも偉いさんということもあって、ちょっとかっこつけてお堅い話をして、箸休めに笑いをとろうとするんだけど、変なオヤジギャグみたいになったりしていた。

吃音症の本多くんは、美容室で「こんな髪型にしてほしい」と言えず「あ、あ、あ、あの、あ、あ、あの、と言っていたら、どんどん顔が下に沈んでいって、美容師さんに頭を掴まれてヒョイって上にあげられるんです」と言って、みんな腹を抱えて笑った。自分のコンプレックスを笑いに変えられる人の笑いは、観終えたあと、本当に清々しくなる。

最後はトリーチャーコリンズの辻西君だ。「辻西君、思っていることを言ってやんなよ!!」と言ったら、辻西君は舞台に上がり「いや、おれ、別にないっす、んー、うん、ないっす」と言ってステージを降りた。僕は勝手に、その顔ならあるもんだと思っていた。その顔なら世の中への不安があるものだと勝手に。

前にもアメリカで黒人の女の子と知り合って「アメリカに対する怒りは!」と聞いたら「え? 別にわたし政治とか興味ない。日本のアニメ好き」と言われ、このときも黒人ならアメリカの政治に対する怒りがあると思っていた。

それが僕の偏見だった。ハッとした。あると思っていた。
そういえば、めちゃくちゃ面白い話を思い出した。自閉症の男の that's right!! な話。
あるとき、自閉症のシンポジウムが行われた。集会だ。集会といっても自閉症の人では
なく、その家族や専門家が集まり、「自閉症に理解を」というテーマで自閉症の人への理
解を社会に広めるイベントだ。
会も終盤に差し掛かってきたとき、客席に自閉症の男性がいた。舞台の上の登壇者た
ちは彼を見つけ、「みなさん、来てくれていますよ！ せっかくなので舞台に上がって、
これが嫌だ、あれが嫌だと思ってることを言ってやってよ！」と言って司会者がマイク
を渡した。
マイクを持った彼は、「こうやって、無理やりマイクを持たされ、無理やり舞台に上
げられるのが嫌です」と言った。
登壇者はみんな静まり返った。おそらく、司会者は「あははは笑 さっ、ということ
で」と言って、話を変えただろう。

ダウン症の彼は、僕にない大事なものを持っていた

とある日の東京の独演会に、ダウン症の男が来ていた。その次の独演会にも彼は来た。独演会後、彼が外にいたので声をかけた。

「どうだった？」

彼は「面白かったよ！」と言った。

僕が「ねえ、なんで来ようと思ったの？」と聞いたら、彼は「面白いからー！」と言った。「誰と来たの？」と聞くと「お父さんと来たー」と答えた。

後日、彼のお父さんからインスタグラムのＤＭが来た。「今日は息子が一人でお邪魔します」と。

でも、本番直前になっても彼は来ない。僕はスタッフにダウン症の彼が来るから、ライブの途中でも入れてあげてと伝えた。

独演会が終わり、スタッフに「彼は？」と聞いたら、実は始まっても全然来ないので、

駅のほうに探しに行ったら道に迷っていました、と言った。駅からここまで数分。お父さんと何度もここに来ている。しかし彼は、ここにたどりつけなかった。僕は、ダウン症だからなのかな、と思った。

それから彼は、お父さんと二人で何度も独演会に来た。一人でも来た。僕の独演会の時間が長かったら、彼は足を揺する。集中力がなくなったのだろうか。

あるとき、思ったことがある。障害者の話をよく独演会でやるんだけど、もしダウン症の彼がライブに来ていたら、まわりのお客さんが彼をチラチラ見るかもしれない。そうなったら、彼と彼のお父さんが不快な思いをするかもしれない。

あとおれは、面白いと思ったら、ダウン症だってここでネタにしたい。そのときにダウン症の彼を、いや彼のお父さんも傷つけるかもしれない。でも僕は、お客さんに左右されず、自分の笑いに自由でありたい。

僕はある夜の独演会後、彼のお父さんにその話をした。ネタにするかもしれない、だけど傷つけたくはない、と。すると後日、彼のお父さんからインスタにまたＤＭがあった。そこにはこんなことが書かれていた。

「恵一は、21トリソミーのダウンで生まれ、母親が亡くなったあと、東京で一人暮らしをしています。ZARAの障害者枠で働いて4年経ちます。恵一は、障害者のネタ、よろしくおねがいしまーすって言ってました」

おれはあの夜、すごくうれしかった。僕のお客さんだと思った。僕のライブに来る人は真っ直ぐでかっこつけがいない。すごく素敵な人が多い。さすが恵一だ、と思った。

それと同時に、恵一がスタンドアップコメディをやったらどうなんだろう、と思った。おれは世の中に言いたいことがたくさんある。おれが浦島太郎の亀だったら、いじめてくるやつらを笑いの力でぶち殺したい。恵一も腹が立つことがあるだろう。

そう思って、おれは恵一のお父さんに「恵一くん、スタンドアップコメディに興味ないですか?」と聞いた。すると恵一のお父さんから「おおいにあります。次、恵一に会ったときに話してみてください」と言われた。

次の独演会に恵一がまた来てくれていたので、「恵一、スタンドアップコメディ興味ある? アメリカ人のお笑いのスタイルで、マイクを持って、社会に好きなこと言いたい放題できるんだぞ」と言ったら、恵一は「いいよー、やりたいー!」と言った。

そして僕は、二度目の、何か言いたいことがある人ばかりを集めたライブをやることにした。

素人ばかりを集めた言いたいことだけを言うライブ。ウケなくてもいい。マイクの前で叫ぶだけ。その中にたまたま笑いが転がっていたらいいけど、一番大事なことは目先の笑いに走らず、言いたいことを叫ぶこと。

僕は、番組やプライベートで出会った興味のある人に、片っ端から「スタンドアップコメディやらない？」と聞いて回った。

そして、いろんな人たちが参加することになった。見た目問題を抱える河除（かわよけ）静香さん、脳性麻痺を抱える鈴木ちえちゃん、ふうかちゃん、小人（こびと）症のちびもえこさん、プリティ太田さん、シリア人ジャーナリストのナジーブさん、トランスジェンダーの杉山文野さん、吃音症の本多駿くん、そして恵一。笑えなくてもいい。むかついたことや、自分の話をしゃべってもらうだけでいいと、彼らとお客さんに説明した。

あのライブは最高だった。僕が渋滞で遅刻して、たまたまお客さんで来ていた茂木健一郎さんに前説をして繋いでもらった。客席は200人の満席。

顔の血管の病気で、鼻や口の形が大きく変わった河除静香さんは、小学生のとき、同級生に「お前に基本的人権はない」と言われ、そのときの恨みをひとり芝居で訴えた。

シリア人ジャーナリストのナジーブさんは、最初は普通に笑いをとっていたんだけど、途中からシリアのことを思い返して、シリア問題を涙ながらに訴えた。「シリアの話、難しいですか？　時間がないですか？」と途中声を荒げた。僕もお客さんも、気づけば彼の怒りの訴えに涙が出ていた。

みんな面白かった。小人症のちびもえこちゃんは「わたしが好きな飲み物はいつも自動販売機の高いところにあります。そんなとき、手伝ってくれたらうれしいです。あとは、わたしはみなさんと一緒です、恋もするし、お腹もすく」と優しく語ってくれた。とにかく、みんなここでは書ききれないくらい最高だった。

最後は恵一だった。オオトリだ。

僕は、舞台の袖で彼に「思いっきり言いたいこと言ってぶちかましてこい！」と言った。恵一は「わかったー！　言ってくるー」と言って、２００人の満席の舞台上に歩いていった。

マイクを持った彼の話に僕は固まった。そして涙がとまらなくなった。

彼は持ち時間の10分間、ずっと、いろんな人たちの名前を呼び上げて「ありがとう」

としか言わなかったからだ。

「〇〇さん、いつも僕のことを助けてくれてありがとうー」と自分のことを助けてくれた人たちの名前を出して、感謝の気持ちを言い続けるだけだった。あとで聞いた話なんだけど、恵一は客席に、いままでお世話になった人たちを呼んでいた。

僕は固まった。僕は〝言いたいこと〟とは〝怒り〟だと思っていたからだ。スタンドアップコメディっていうのは怒りの表現だと思っていた。でも彼は感謝の気持ちを伝えにきた。

恵一は最後にこう言った。

「地球に生まれて大満足です‼」

そう言って舞台を降りた。

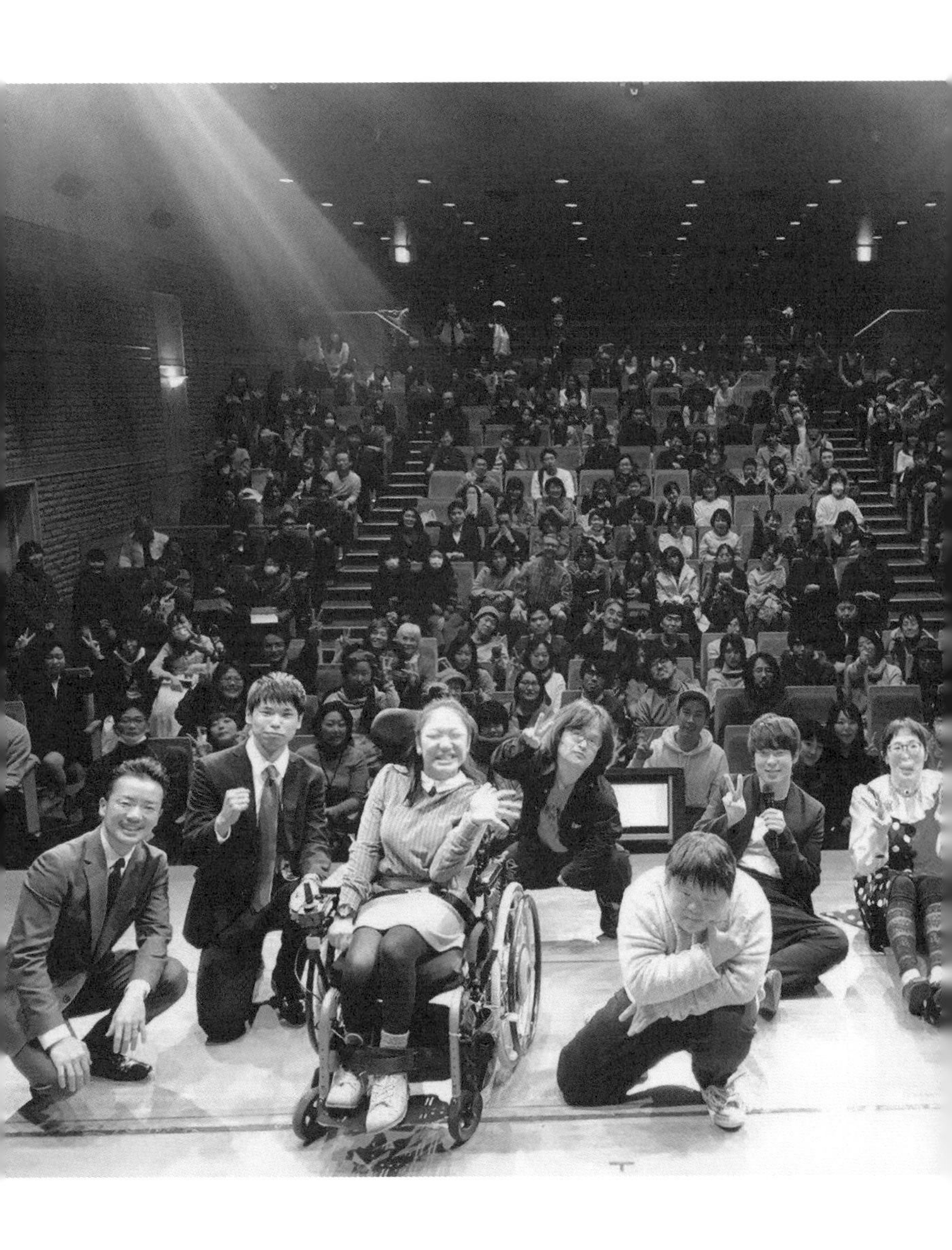

ダウン症の人は天使だと聞いたことがある。僕は恵一以外のダウン症の人を知らない。ダウン症がどんなものかも詳しくは知らないけど、僕はいつか恵一のようになれたらいいな、と思った。

恵一、生まれてきてくれてありがとう。おれは君と君を心底愛している君の父さんを心から尊敬している。

あと、Ｚｏｏｍのライブを観るときは、パンツは穿いてね。ライブ中、恵一が立ち上がったときに、急に横からタオルを持った手が出てきて、恵一の股間を隠したね。下半身、すっぽんぽんだったんだね。

おかげで、お父さんがこっそり横にいたのが判明したよ。チケット1枚で、2人で見ていたあんたらと出会えてよかった。

僕は木刀をマイクに持ち替えてそこに潜む

僕は浦島太郎を読んでいていつもこう思う。

おれが亀なら自分をいじめるやつらに「勘弁してください、よかったら竜宮城にお連れさせてください」と言って背中に乗せ、そのまま竜宮城に行かずに海の底に沈めて殺す。

浦島太郎がまた助けてくれるかはわからない。自分でやるしかない。

高校1年のときに、同じ学校の先輩たちに〝臭男〟と名付けられた。サッカー部でユニフォームが臭いのか、それともおれがワキガだったのかは知らないが、彼らはおれを〝くさお〟と呼んだ。

彼らは出会うたびに「おいっ臭男っ」と呼んできた。まわりの生徒はケラケラ笑った。

こういうことは先生にも言いたくない。親に言って心配もかけたくない。強く文句を言いたいけど、僕は喧嘩をしたこともなかった。うちの学校は、地元でも有名な不良が多い学校。彼らが怖かった。

しかし、恥ずかしくて屈辱的だった。彼らがいる学校に行くのが嫌だった。でもあいつらに怯（おび）えて学校に行かないのも嫌だった。

僕は決めた。戦うしかない。そして勝つしかない。でも負けるかもしれない。勝たないと意味がない。

そんなとき、僕の弟の部屋に、弟が中学の修学旅行でノリで買ってきた木刀がベッドの下にあった。僕はそれを盗みだし、やつらに復讐することにした。

それをゴミ袋で包んでバレないように隠し持ち、学校に行く電車に乗り込んだ。いつもより一本早い電車に乗り、学校の最寄駅に行って、駐輪場の自転車の影で息を潜める。主犯格の先輩が、毎朝そこから自転車で学校に行くのを知っていたからだ。

僕はそこで彼が現れるのをジッと待った。その数分間は数時間に感じるくらい緊張した。心臓がバクバクしていた。返り討ちにあったらどうしよう、学校を退学させられたらどうしよう。

そのとき、彼が自転車を取りに現れた。僕は飛び出し、彼に飛びかかり、思いきり木刀で彼の足を殴った。彼は大声で「なんや！！！！」と叫んだ。僕は被せ気味に大声で「だまれ‼　二度とおれになめた口きくなよ、次やったら殺すからな‼」と怒鳴った。静まり返った駐輪場。彼は目をそらしたまま「はい……」と言った。

その日から彼らは僕に絡んでこなくなった。しかし僕のやった暴力はすぐに校内に広まり、まわりから距離を置かれ、まわりの態度は冷たくなり、僕は学校で孤独になった。戦い方が間違っていたのか、合っていたのかはわからない。ただ僕の気持ちは晴れた。

最近、こんなことがあった。僕が、劇場の楽屋にいたらＦＵＪＩＷＡＲＡの藤本さんが、おれを見つけ、「おー、村本、久しぶりやな、死んだと思ったわ」と言った。たしかに僕はテレビに出なくなってから長い。藤本さんとも仕事をしてない。しかし、その〝死んだと思ったわ〟を、僕は「テレビに出ない、イコール、死んだようなものだ」と言われたと感じた。

僕はそのとき、気持ちの整理がつかなかった。どんだけ芸人のただのイジリだと思おうとしても、腹の底から怒りがこみ上げてくる。この怒りの終わらせ方は〝これを漫才で笑いにするしかない〟と思った。僕らの出番まであと30分。怒りの感情はすごいエネルギーを持つ。瞬く間にネタができた。

僕はそのときの出番の漫才で、こんなネタをした。

「よくテレビに出なくなったら〝消えた〟って言う人いるじゃないですか。それ違うんですよね。僕らの仕事は、作品をつくること、漫才をすること。いつのまにか、漫才を手段に、コントを手段に、テレビの世界に行き、ネタをやらなくなる。

おかしいですよね？　絵描きは絵を描く、ミュージシャンは音をつくる、芸人はネタをやる。だから僕はほぼ毎日このマイクの前に立っているんですよ。消えたのはテレビに出てこっちに戻ってこなくなったあいつらで、僕は、ずっとここにいるんですよ。

たまに〝死んだ〟と言う人もいるんですよ。さっきね、楽屋にいたらＦＵＪＩＷＡＲＡの藤本さんが僕を見つけて、〝村本、死んだと思ったわ〟と言われたんですよ。

このマイクの前できっちり言わせてください！　テレビに出ないことが死んだんであれば、おれはあんたの元奥さんに、ご愁傷様でしたと言いたいわ！」

会場は笑いに包まれた。

やり方が合っていたのか間違っていたのかはわからない。ただ、僕の屈辱的な気持ちは、笑い声とともに霧が晴れるかのようにサッと消え去った。

2000年にお笑いを始めて2013年に漫才で日本一になった。優勝するまでに13年かかった。

僕の同期にはキングコングや南海キャンディーズの山里、ダイアンやなかやまきんに君などがいて、彼らは僕のことを同期なのにずっと知らなかったと言う。

ある同期のやつが言っていた。「いま世に出ているやつは、養成所のときから名が知れ渡っていた。村本だけは誰も存在を知らなかった」と。

それはそうだ。吉本の養成所の生徒は東京、大阪校合わせて2000人。大阪校は800人いて、辞めずに残っていた生徒だけでも200人だ。

卒業公演は講師が1組ずつネタを見て、そのレベルに応じてネタ時間を決める。たしかそのときのトップがキングコングで5分で、その次点の3分組が南海キャンディーズの山里だったりダイアンだったり。

その下に2分組があって、最下層に1分組があった。その最下層の1分組でも終わっているのに、その1分組の手見せに遅刻したやつが3人ほどいて、その人たちはたしか30秒組だったと思う。授業料を払っているから学校も卒業公演には出さないといけない。無理やり30秒だけネタをさせてもらえる。

その3人のうちの一人は借金漬けのギャンブル好きのだらしない中年の男で、もう一人がアル中で肌ボロボロの男、そしてあと一人が僕だった。

この時点で僕が最下層中の最下層だったということがわかるだろう。ネタも面白くなければ、遅刻までして社会性もゼロ。おまけに性格もクソだ。

その僕が日本を漫才で制すことができたのも、あのときの木刀と同じく〝復讐〟の力だった。

僕は10年近く大阪でアルバイトをしていた。売れない芸人はアルバイト先で苦労する。売れない芸人はわかりやすく下に見られる。

売れてないし、芸人だし、そこにトッピングで中卒も加わって、なめられる要素は多かった。

福井出身ということで地味だと言われることも多く、どこ出身?と聞かれて「福井の田舎のほう」と答えたあとに「あ、福井自体が田舎やから正確には福井という田舎のさらに田舎のほう」と言い直すくらい、卑屈に自虐的に考えるようになっていた。

バイトは、長くやれば長くやるほど年下が増えてくる。特に僕はカラオケでバイトをしていたので大学生が多かった。就職活動までのお小遣い稼ぎでバイトをやっている大学生たちとお笑い芸人。当たるかどうかわからない宝くじを引き続け、当たるまでここを抜けられない僕と彼らとでは気楽さが違った。

そのバイト先にはバイトをまとめるバイトリーダーというのがいて、彼が僕に嫌がらせをしてきた。彼は僕がまだ教えてもらっていない仕事をやらせてくる。「村本くんこれやっといて」と言われて一応やるんだけど、もちろん、やったことないし教えられてもいないのでできない。

すると、後ろからそれを見ていたバイトリーダーが「やれやれ」と言って軽快に現れ、おれのできない作業を代わりにやってくれる。それをまわりのバイトの女子大生が見ていて「かっこいい、なんて面倒見がいいのかしら」と彼はモテモテになる。

彼はおれに仕事を教えることによってバイト先でチヤホヤされる。それが何度か続き、僕は気づく。

こいつ、おれをダシに、バイト先の女子大生たちからモテようとしてるなと。

バイトリーダーは社員でもないくせに、権力がある。彼はシフトを決められる。だから自分は、可愛い女の子とばかりシフトに入る。おれはおっさんとばかり入れられる。

バイトリーダーはおれをダシにし続ける。僕は彼の好感度のために利用され、道具にされ続けた。

しかし、仕事もできないので文句も言えない。文句を言ったら彼にシフトを減らされるかもしれない。でも、これ以上、恥をかかされたくない。


ある日、バイトリーダーが「村本くんのライブを観に行きたい」と言ってきた。

僕のライブとは、お客さんを入れた公開オーディションだ。やつはバイトの女子大生を口説いていたので、僕の漫才オーディションをデートに利用しようとしていたんだろう。おそらく僕が「オーディションに勝てない」と言っていたから、オーディションに落ちて落ち込んでいるおれを励ますポーズをして、狙っている女に優しい先輩アピールをしようとしたんだろう。

おれは〝ここだ〟と思った。バイトリーダーをバカにするネタをつくろうと。そしてデートで来たやつに恥をかかせてやろうと考えた。チケット代も僕が払って、彼らをライブに招待した。

ライブまでの間、狂うようにネタを書いた。あのときのおれの顔はとてもお笑いをつくっているやつの顔ではない。バイト先で味わった屈辱を、すべて清算させてもらうためにネタをつくった。

いつも心が重くて仕方なかった。だから、このネタを彼の前で急にやる。テロを起こす。

そのときにできた漫才が〝バイトリーダー〟という漫才だ。僕がバイト先のカラオケのあのバイトリーダー役をやる。こんなネタだ。

バイトリーダーはバイト先のヒーローで、いつも困ったバイトを助けてくれる。新人のバイトの女の子が困っていたら、バイトリーダーがやってきて「おいおい何やってんだ、ここはほかのバイトが時給700円もらってるところを750円もらってるおれがいくしかねーな」と言って、ヒーローのように颯爽と背後に現れ、「大丈夫?⁉」と一声。

バイトの女の子はその声を聞いて「その声はまさか!?」と興奮する。するとバイトリーダーは決め台詞を言う。

「殺人よりも放火よりも強盗よりも最もやってはいけないこと、それは交通費をもらいながら、自転車で通うこと、バイトリーダーです」

　バイトの女の子は興奮し「きゃーバイトリーダーーー」と跳び上がる。

　この流れを繰り返す。決め台詞っぽいところを変えて、バイトリーダーがいかにダサいかをその台詞でわからせる。

　たとえば、「法律よりもシフト守ります、バイトリーダーです」「バイトなのにスーツ着てます、バイトリーダーです」「仕事量は社員、扱いはバイト、バイトリーダーです」「この世界で偉いやつは喧嘩強いやつでもなく、金持ってるやつでもない、土日祝日入れるやつ、バイトリーダーです」などなど。

　とにかくあのときのおれに屈辱タイムを与えてきたバイトリーダーってやつを、こっぴどくバカにするネタだ。

　おれは舞台に出た。客は少なかったので、客席で彼らのいる位置はわかった。そして、おれはそのネタをした。

　怒られたらどうしよう、シフトを減らされたらどうしようと怖かったが、おれはここでバイトリーダーをバカにし、その横の女の前でバイトリーダーが恥をかくことだけを願った。おれに恥をかかせたこいつと同じことを、倍返しでやってやりたかった。

そのネタはかつてないほどウケた。そして僕はそのオーディションで勝った。

翌日、バイト先に行ったときのバイトリーダーの態度は、思った通りだった。すごく冷たくなっていた。バイト先で前日のことを話したんだろう。信頼あるバイトリーダーに嫌われるとバイト先でやっていけない。ほかのバイトの態度も一気に変わった。バイトに行きにくくなった。

しかし、奇跡は起きた。そのバイトリーダーネタがウケすぎて、コンクールでやったらとんとん拍子で決勝にあがった。そして、審査員特別賞をもらった。

そのコンクールは生放送だった。その生放送をたまたま見ていた島田紳助さんが「大阪に凄いやつおる」とテレビで僕らの名前を言ってくれて、そこから仕事が一気に増えた。僕はバイトを辞めることができた。

それからしばらくして、僕は大阪の朝の情報番組をレギュラーでやらせてもらった。その番組に、ある日、番宣かなんかで同期のキングコングがゲストで来た。

僕は同期なんだけど、キングコングとは面識がなかった。1年目でテレビに出てスターになった彼らと、10年くすぶっている僕。僕はずっと敬語で話していた。

その生放送では、ラスト10秒ほど、司会者のアナウンサーから芸人に無茶ぶりが来る。そのときは、ゲストのキングコングに話が振られた。

しかし、キングコングは急におれに話を振ってきた。ラスト5秒ぐらいだったと思う。たしか「村本くん、この前、女の子と歩いてたよね」的なフリだった。とにかく、嘘だし、なんと言ったらいいかわからないフリをしてきた。僕は「何こいつら」とパニックになり、あたふたしている間に生放送の番組は終わった。

僕は自分のレギュラーの番組で、馴染みのスタッフ、仲良しの共演者の前でとんだ赤っ恥をかかされたと思った。

そこでキレてやればよかったんだけど、売れっ子のキングコングを目の前にすると「さっきはごめんね、ちゃんと返せなくて」と謝ってしまった。彼らはそんな僕に「全然」と言い、そっけない態度で「おつかれしたー」と言ってスタジオから帰っていった。

たたずむ僕。その横を、ほかの出演者たちは何事もなかったかのように通り過ぎて楽屋に戻っていく。おれにはそれが「何の役にも立たねえやつだな」と言っているように見えた。

いま思えば、誰もそんなことは考えていなかったと思う。おれの売れない時間が長すぎて、自分だけがネガティヴな思考になっていたんだろう。「番組をクビになり、またあの頃に戻されるかもしれない」。その恐怖は、恥ずかしさ、怖さ、情けなさ、いろんな感情を呼び寄せ、僕は怒り狂いながら、テレビ局を出て、そのままファミレスにこもった。

ノートを開き、ペンを走らせる。漫才のネタではない。次にもしキングコングが同じフリをしてきたときにぶっ殺すための返しを、ノート何ページ分もひたすら書き殴った。怒りをキープし、脳味噌から出てきたものを書き続ける。いつかでっかいのが出ることを信じて書き続ける。疲れて集中力が切れて、ま、いっか、とならないように、ずっと頭の中のスクリーンにあのときの光景を流しておく。

気持ちが萎えだすと、心の中の悪魔化した僕が「おい、そんなネタでいいのか？　あんなに恥をかかされたのに。キングコングもほかの出演者も、二度とお前をいじれないように完膚なきまでに叩きのめすような返しを考えるんだ」と自分に鞭（むち）を打つ。

なるべく、短い時間で、大きな笑いを。笑いが弱ければ、やり返される。1発でマットに沈めるんだ。

それでできたネタが、こうだ。

もしキングコングがまた「村本、女と歩いていたよな」みたいなフリをしてきたら、「目先の笑いのためならば、平気でよくわからない嘘をつき、相手を貶そうとする三流芸人、紹介します、同期のキングコングです！」と言って、まわりに彼らを紹介する。返しのネタは仕上がった。

そこまでの道筋も考えた。本番前に楽屋に挨拶に行き、「この前は、うまく返せなくてごめんね。もしよかったら、前と同じフリしてくれへん？ ちゃんとお互いが得になるような返しを考えたから」と言って味方のふりをし、油断させる。

そしてやつらがまんまとそれをやってきたら、隠し持ったこの返しでぶちのめす。卑怯とか言ってられない。勝たなきゃ意味がない。それは駐輪場の自転車の陰に隠れて、木刀を忍ばせていたときのように。

しかし、売れっ子のキングコングと僕が共演することなんか、なかなかなかった。

僕は思った。これはまずい。練習しておかないと、万が一キングコングにやったときに言い慣れてなくて甘噛みでもしたら、そこから袋叩きにあう可能性がある。木刀空振りと同じだ。

だから僕は、練習のためにそれを漫才に組み込んだ。キングコングのところを相方の中川パラダイスに変えた。ハードは同じでソフトだけ変えるから、簡単に漫才の中に組み込める。たとえばこうだ。

僕が「あのさー、舞台後に写真撮らせてくれっていうお客さんいるやんか。ネタ観にきてるのに、写真撮らせろってさ！　お前どう思う？」と言う。そこでパラダイスに「わかるわー、芸人はアイドルちゃうねんて感じやなー迷惑ですよー」と言わせる。

そのあと僕は「でも僕はね、写真を撮ってくださるだけ、ありがたいと思うんですよー」と言う。パラダイスは梯子(はしご)を外されたように「え？・？・？」と驚く。

僕はそこで「お客様あっての仕事なのに、人気ないくせに写真すら断る、最低な芸人、紹介します、相方の中川くんです」と紹介する。

これを舞台の漫才で試しまくり、いつかキングコングと出会うときのために仕上げまくった。

そんなとき、THE MANZAIが開かれた。この大会に出るために僕たちは60本近い新ネタをつくったんだけど、どれもあまり良くなかった。

予選が始まるのは8月で、6月の時点では勝負できるネタがなかった。ネタがなかったから、対キングコング用に温めていた「紹介します」ネタを予選で試してみた。すると、このネタが驚くほどウケて、僕らは予選をトップで通過してしまい、そのまま優勝した。僕は日本一になった。

僕は木刀をセンターマイクに替えて、バイトリーダーとキングコングへの二振りで日本一に勝ち上がった。限りなく個人的な復讐は、僕を日本一にしてくれた。

日本一になって優勝してからいままでずっとやっている漫才のつかみのネタがある。僕は17歳のときにお笑い芸人になりたいと思った。テレビの中の芸人たちを見て楽しそうだと思ったからだ。

でも別にクラスで笑いをとっていたわけでもない。人気者だったわけでもない。ただあの中に入りたいから、お笑い芸人になりたいと思った。それが人生で初めて、強く何かになりたいと思ったものだった。

しかし、「お笑い芸人になりたい」と言うと、福井の田舎では家族や友達、いろんな人たちから「お笑い芸人なんか目指す人はたくさんいて、あそこにいる人たちはその中の、ほんの一握りなんやで」「お前、別に面白くないやん。あの場所にいるのは、全国から集まった面白い人たちの中の面白い人たちだけで、ほんの一握りしかなれへんのや」「いや大輔は無理無理無理、だってあそこにいるのはほんの一握りやから」と、この言葉を呪いのように浴びせられてきた。

一握りになれないということは、そこから〝こぼれ落ちる〟ということか、とそれに恐怖を感じた。

学校も勉強についていけずこぼれ落ちた。さらにはなりたいものに対しても「お前はどうせこぼれ落ちる」と言われている気がして、可能性すら否定されている気がした。

その言葉は自信を奪おうとし、夢を奪おうとしてきた。夢を食う狼たちに追いかけられているような不安でいっぱいの10代だった。

そこへのカウンターパンチをいまも打ち続けている。

それが、このつかみのネタだ。

「いやー、みなさん、吉本の芸人は全国で6000人います。吉本には養成所があります。僕らのときは全国から約2000人が吉本に入ってきました。

でも全員は卒業できない。その中でも成績優秀だった、ほんの一握りが学校を卒業することができまして、卒業しても全員プロにはなれない。

プロになるには激しいオーディションに勝ち上がった、ほんの一握りがプロになることができまして、プロになってもご飯は食べられない。ＴＨＥ ＭＡＮＺＡＩ、キングオブコント、Ｍ－１グランプリという大会で勝ち上がった、ほんの一握りがご飯を食べることができる。

決勝に行っても優勝はできない。優勝できるのはその中のほんの一握り、優勝してこの舞台に立てるのはその中のほんの一握り。どうも、その一握りです、よろしくお願いします」


これは、「僕が、お前らが散々言ってきた〝ほんの一握り〟になったよ」という意味でもあり、「あんたらがこぼれ落ちると思ってた人間が一握りになった。だから人がどうなるかなんてわからないんだよ」という意味でもあり、「もしあの言葉を鵜呑みにしたらおれはここにはいない。こぼれ落ちることを恐れて何も挑戦しない人間になってたよ」と、散々否定されたあの子どもの頃に言われた言葉を、毎回の漫才で思い出しながらこれをやっている。

20年以上前の「お前には無理だ、そんなものになれるのはほんの一握り」という言葉への怒りはいまも続く。

砂浜で自分をいじめていた子どもたちはもう背中にはいないのに、まだいると思って、海底奥深くに潜り続ける亀のような取り憑かれ方だ。

風景をリアルに

社会学者の宮台真司が言った。「いまの人たちは、仲間以外はみな風景だ」と。仲間以外に何かあっても、それは風景にしか過ぎないということだろう。

そんな風景がリアルになる瞬間がある。

おれの友達が結婚し、子どもができた。それまで彼はテレビのニュースをただボーッと流し見ていただけだった。誰が死のうと殺されようと、ニュースはただ流れてくる風景だったという。

しかし子どもができてから、親が自分の子どもを虐待して殺したニュースが目に留まるようになり、腹の底から許せないと感じるようになった。子どもができたことによって、彼にとっての風景はリアルになった。

別の友達のお母さんは、自分の娘にこう言っていた。

「あんたが小学生になったとき、街なかにあんたと同じ年の子どもがたくさんおるなーと思った。小学生ってこんなおったんやと思った。あんたが中学生になったとき、街なかが中学生だらけに見えて、あんたが高校生になったときは街なかが高校生だらけになった」と。

前から小学生も中学生も高校生もたくさんいたけど、見えていなかった。でも、自分の娘がその年になったから、風景だったものがリアルになった。

同じようなことが僕にもある。

僕にとって新聞はただの文字だった。新聞なんか35歳ぐらいまで読んだこともなかった。ただの文字の集まりだ。

でも、僕が芸人としてテレビに出始めた頃、お笑い芸人がテレビのコメンテーターに抜擢され始めていたから、一応基本的なことは知っておこうと、僕は人生で初めて新聞をとった。コンビニにあるもので有名な新聞はほぼ買った。産経、朝日、読売、毎日、東京新聞と。

テレビでしゃべるために新聞を買ったとき、いままでただの文字の集合体だったものが情報の集合体に変わった。情報は誰かとコミュニケーションを取るときの武器にもなる。人とのコミュニケーションが苦手な僕も「新聞にこんなことが書いてあったんだけど」という感じで、会話の良いきっかけになった。

そんなある日、北海道のとある町に行き、地元の人たちと酒を飲んだ。

その中の一人が「相談したいことがある」と言ってきて、「新聞記者を紹介してほしい」と言われた。理由を聞くと、どうやらいまこの町が大変なことになっているらしい。

いまこの町では行政が大借金をして、大きな建物を建設しようとしている。しかし、この街は過疎化が進んでいる。このままでは子どもたちの代まで借金を払い続けないといけない。子どもの数も減っているから、いまの子どもが大きくなったときには、彼ら一人当たりの税金の負担もめちゃくちゃ多くなる。だからその計画をやめさせたいと言っていた。

しかも、そのことを町の人のほとんどが知らないようで、「ちゃんとみんなで知ったうえで考えたい。このままでは行政が勝手につくってしまう」と嘆いていた。行政は工事を急いでいるらしく、反対を恐れてか、町の人たちにこのことを知られたくないようにも感じると言っていた。

この事実を広めるために新聞などで取り上げてほしい、だけど誰も知り合いがいないから村本さん知りませんか？ということだった。

僕は、新聞社の知り合いが何人かいたので連絡してみたら、記事になるかどうかわからないけど話を聞いてみたいと言ってくれた。

それを伝えたときの女性の喜びようを、僕は忘れられない。まるで雪山で遭難しているときに、救助ヘリに見つけてもらったような喜びようだった。

そのときに感じた。

メディアとは、いま苦しんでいる人たちが「ここにいるよ」ということを教えてくれる存在なんだと。彼女のＳＯＳを新聞が載せると、それが広がり、たくさんの人たちがそれを知り、行動を起こし、それが解決するかもしれない。

そんな出来事を見てから、僕がいままで情報だと思っていた新聞の文字が、誰かの「助けてほしい」の声になった。ただの文字からただの情報へ、そして情報から声になった。僕にとって文字は風景だったが、その風景はリアルになった。

こうして風景はリアルになる。

しかし、どうだろう。僕は近頃、思うことがある。

コロナで志村けんさんが亡くなった。志村さんは多くの日本人が子どもの頃から見ていた芸人だ。その志村さんが亡くなって、多くの人たちが「コロナの怖さを実感した」と言った。

テラスハウスの女の子がネットで誹謗中傷され自ら命を断った。それが大きなニュースになった。たくさんの芸能人たち、たくさんの人たちが「誹謗中傷はやめよう」と声をあげた。

でも、どうだろう。コロナで亡くなった人たちは以前からいたはずだ。ネットの誹謗中傷で自殺している人たちも前からいた。彼らが何人死んでも世間は声をあげない、国は動かない。有名人が死ぬと不安になって声をあげる人たちがいる。

もう一度言う。志村けんさん以外でもたくさんの人たちがコロナで亡くなり、テラスハウスの女の子以外でもたくさんの人たちがネットの誹謗中傷で命を断っている。

知っている人が死なないと意識しない。有名な人が死なないと意識しない。

有名人が亡くならなくてもコロナを自分ごとにし、有名人が自殺しなくてもそれを想像し、危機感を感じられないのだろうか。

なんなら、電車で誰かが飛び降りて死んだら「どこで死んでんだよ、迷惑かけるなよ」と言うような人たちもいる。誰かが飛び降り自殺をしようとしたら、スマホのカメラを向ける人たちもいる。仲間に承認されたくて必死なんだろう。

無関心な人たちは孤独だ。それは、あなた自身がつくったこの無関心な世界によって、あなた自身も誰かに空気扱いされているからだ。

だから孤独を感じ、誰かの死すらも「いいね」をもらうために利用する。知らない人たちは風景だから。死のうが生きようが、風景だから。

お前が誰かを風景にするということは、お前も誰かに風景にされるということだ。風景にしていいということは、自分の悲劇も風景にされるということになる。

風景にしていいというルールは、すべてが自己責任になる。「知らんがな、お前のことだろう」は、お前が困っているときにも「知らんがな、お前のことだろう」になる。

風景にするということは風景にされるということ。お前があいつに無関心だということは、あいつもお前に無関心だということ。だから日本は先進国の中で若者の自殺率が1位なのかもしれない。

麻生太郎は言った。この国で政治に無関心なことは悪いことではない。アフガニスタンなどで生まれて、地雷を踏んだならば政治に関心が出る。この国ではそれはないだろう。だから政治に無関心なのは関心を持たなくても生活ができるからだ、と。

おいおい、待ってくれ。地雷は踏んでないけど、原発の事故で、生まれた街を、命を、仕事を失っている人たちがいる。

彼らはいまも裁判で国と闘っていて、僕らに当たり前にある日常を奪われている。沖縄の人たちも基地を押しつけられ、静かな空と綺麗な海を奪われている。在日朝鮮人は、自分の祖国のことを学ぶ権利を奪われている。

彼らだけ闘っても何も変わらない。麻生太郎は無関心を肯定しているが、他人を風景にすることを喜ぶのは政治家だ。

地雷を踏んだこともない人たちが、この国では命を落としている。自らの手で。

寂しいんだろう。繋がりがないから、無関心だから、自分が風景にされているから。

寂しいんだろうな。

痛みを和らげる

僕は芸人を始めたばかりの頃に、目の前で〝痛みが和らいだ瞬間〟を見た。

若手の頃にインディーズライブというのをやっていた。吉本の舞台のオーディションで落ち続けている芸人たちが、オーディションに受かるためにネタを試す場所だ。

オーディションに受かってもいないので、吉本の芸人でもなければプロでもない。負け続けてバイトをしているアマチュアの芸人たちのお笑いレッスン場みたいなところだった。自分たちで会場を借り、外でチケットを手売りして呼びこみをやって、20人ぐらいの前で漫才などをやるライブだ。

僕はそこに7、8年はいたかもしれない。吉本のオーディションに受かったときに、その中の芸人に「もうここには戻って来ないでくださいね」と刑務官みたいなことを言われたことを覚えている。

その中で見た、忘れられない光景がある。

ある日、ライブに遅刻してきたやつがいた。なぜかそいつは喪服を着ていた。目は腫れていた。

聞けば昨日、親父が自殺したそうだ。葬式後に、喪服で舞台に来た。そこまでして舞台に来たかったのか、そのとき出ていた先輩が怖くて休めなかったのかはわからない。

ライブのトークコーナーで、彼がカラ元気なのがわかった。誰よりも明るいやつだったから、無理しているのはすぐにわかった。

そのときに誰かが「全然元気ないやん！　なんかあったん？」と聞いた。彼に何があったかは知っていたのに。

すると彼は、全力で「知ってるやん！　親父死んどんねん！」と返した。

誰かが「寿命？」と言うと、「自殺や！　まだ60歳や」と返した。

さらに誰かが「お前のスーツおかしくない？」と言ったら、彼は「喪服や！　ここまでの流れ聞いてたら、大体わかるやろ」と突っ込んだ。

そこから、彼の父親いじりが始まった。彼はずっと「お前ら最低やな!!」と突っ込んでいたが、すごくうれしそうな顔をしていた。

最初は引いていた客席からも少しずつ笑いが起き、最後には彼が「時間が来たから締めるぞ！」と進行用のカンペをポケットから取り出そうとしたら、間違えて数珠が出てきて「あ、数珠やった……」と天然を発揮し、客も芸人も転げ回って涙を流して笑った。そのライブ終わり、楽屋で彼は芸人たちに「ありがとう、楽になったわ」と言った。みんな何も言わずに彼の肩をポンとだけ叩いた。みんな優しかった。

僕は、笑いが苦しんでいる人を救う瞬間を見た。

笑いとはそういうことだ。誰かの痛みを和らげる。

たとえば、民主主義は多数決で決まる。民主主義が機能しているとすれば、国は多数がつくっているとするならば、国の痛み止めはその多数のほうに傾く。ならば、痛みを感じる少数に芸人がふれて、笑いで痛みを和らげてやればいい。

しかし、この国はそれがなされにくい。

この前、テレビでかまいたちの山内が「距離を空けたい芸人」として僕の名前を出し、理由として政治的な発言が多いからと言ってスタジオはウケていたらしい。指原莉乃もテレビで「村本は政治的な発言をしすぎ」と言って笑いが起こり、ヒロミさんが「アイツはガチだからね」と言ってまた笑いが起きた。

彼らへの怒りは本当にない。盛り上がるワードを選ぶのが上手いなと思うだけだ。

それよりも気になるのは、ヨーロッパやアメリカでは、逆に政治的な発言をしない芸人やミュージシャンがネタにされて笑われるということだ。

なぜなら民主主義の国だから、自分たちで選んでいるからだ。ちゃんと見て、おかしなことはおかしいと言うのが、民主主義の義務だ。選ぶ権利は監視する義務でもある。

しかしこの国では、発言する側がネタになる。笑われる。すると、笑われることを恐れて誰も発言しなくなり、痛みを和らげる人がいなくなる。痛みを抱える人たちはずっと痛みに耐え続けることになる。

いま、痛み止めを持つ仕事をしている芸人たちは、日本の、世界の痛みを放置している。彼らは沈黙し、テーマパークのキャラクターのように、自分たちのことが好きな、痛みに無関心なファンのほうを向いて、汗をかきながら全力で踊り、もてなしている。テーマパークの外で誰かが地雷を踏もうと、知らないふりをしてテーマパークのお笑いエリアで踊っている。

テーマパークにどっぷり浸かっているあなたにも問題がある。

ピカソのゲルニカは反戦を訴えている。あなたが美術館でそれを見ても「反戦を訴えている絵なんですって」という情報で終わり、いま世界で紛争が起きていることにまで関心はいかない。あなたの関心は〝絵〟で止まる。メッセージは受け取らない。

ドイツに行ってきた友達も「アンネ・フランクの家の展示に行ってきた」と言っていたけど、それで話は終わった。〝行ってきた〟ということだけ。「それで？」と言うと「大変だったんだろうな。いまの平和な時代をアンネにも見せたかった」と言った。それに対して「いまシリアで同じような思いをしている女の子がいるよ」と言ったけど、彼女は「ふーん」と言ってスマホを開き、モデルたちの動画を見始めた。

いまバンクシー展がやっているけど、それもバンクシーには興味があるが、バンクシーのメッセージには興味がない。メッセージというのは「あっちを見てごらん」と悲劇の起きているほうを指差して見せるものだと思っている。

でも、美術館や個展ではもう響かない。ニュースで悲しい出来事を流すようなもので、何も感じなくなっている。だからバンクシーは壁に描くんだと思う。

これは彼なりのテロだ。飾るべきところに飾っても、飾ることが許されている場所だ。だから許されてない場所に描き、賛否両論から火を起こす。

おれもそうだ。おれは兼ねてから、ニュースはただの映像で、新聞はただの文字になっていると思っていた。それらに慣れすぎて、そこから悲劇を感じなくなった。新聞やニュースはそれをやる場所だから。

だから僕は漫才でそれを描くことにした。ありがたいことに漫才は、先人たちが「考えずに笑えるもの」という空気をつくってくれた。

ほかの漫才師が、「野球選手になりたくてね〜一回やってみよ」とか「医者やるからナースやって」とか言っているところに、みんなが目を背けている悲劇をドンっ！だ。

おれは、テーマパークの中に逃げようとするあなたに、最高の現実を見せたいだけなんだ。

日本人がバンクシーについて、壁に落書きをする軽犯罪者と言っていると聞いた。めちゃくちゃ笑った。その日本人たちが滑稽すぎて。

バンクシーのパレスチナの絵を見たことがあるのか？

有名なものに、イスラエル軍の軍事占領とその攻撃に投石で抗議したパレスチナの抗議運動をモチーフにした絵がある。男の手に、石ではなく花束を持たせたものだ。

この地には複数のバンクシーの絵があり、イスラエル政府が国連から国際法違反と人権侵害を非難されながら強行建設を続ける「分離壁（ぶんりへき）」にも彼は絵を残した。

その壁に描いた絵を軽犯罪と言うのか？　壁の表面を見て、その壁の奥で行われている大罪のことは見ない。その奥が見えない日本人には、アートは貫通しない。壁に落書きをするのは良くない、と言って終わらせる。

無関心なのはテーマパークの中にいすぎたせいだ。テーマパークの外では誰かが痛みを抑えている。

誰かが悲鳴をあげても、「わがままだ」「自己責任だ」と言って聞こえないふり。痛み止めを出す芸人も、テーマパークに来る無関心なお客さんを踊りで魅了することに必死だ。

キング牧師「最大の悲劇は、悪人の圧制や残酷さではなく、善人の沈黙である。」

ガンジー　「無関心は暴力より卑劣である。」

この国の最大の悲劇は、国民の無関心と芸人の沈黙だ。

僕はそこに喜劇があると思っている。

フェイク飛び
民主主義の

西部邁（評論家）×村本大輔（ウーマンラッシュアワー）対
炎上芸人と保守派の論客。40歳以上年の離れたお互いの共
「投票をしたことがない」こと。2人の語らいから何が飛

村本大輔　いままで政治に全く
関心がない人生を過ごしてきた
んですが、最近テレビの政治番
組に呼ばれ、
ないことがあるんです。たとえ
ば、選挙で
みんな言う割には、候補者の公
約すら読んでいない人も多い
西部　邁　僕、投票したことな
いから知らないんだけど、投票

いから行かないよ」
レビのインタビュー

おわりに

本を書いている最中に、父が喉の癌になり、咽頭を取り外して声を失った。

僕は、子どもの頃から父が怖かった。酒とタバコが大好きで、毎晩、夜中に帰ってきては母を怒鳴り倒す。運動会に来てくれた思い出はないし、旅行に行った記憶も一度だけで、あとは怖い父親のイメージしかない。

そんな父は仕事人間で、毎朝5時に起き、誰も目覚めていないなか、ひとりで朝ご飯を食べて仕事に行っていた。僕が物心ついたときから、体を壊して休んでいる姿など見たことがない。

忘れもしないのが17歳のとき、僕が高校を辞めると言ったときだ。そのとき家でお酒を飲んでいた父は、持っていた一升瓶をテーブルに叩きつけ、割れたガラスの破片が部屋中に飛び散った。

父にはそこで「中途半端なことをするな。日本一のヤクザになるか、日本一の政治家になるか、とにかく中途半端なことはするな」と怒鳴られた。

父は自分に父親がいなかったから、父親という教科書を知らない。だから不器用だ。THE MANZAIで日本一になったときも、電話をしたら小さい声で「おぉよかったな」ぐらいのものだった。

しかしあとで、いつも父が行く鮨屋の大将に聞いたら「あのとき、お父さん、うちの店を貸切りにして、みんなでここに椅子を置いて応援してたで。お父さん、優勝したとき、静かに泣いてたで」と言われて驚いた。泣くことができる人だったのかと。

そんな父が咽頭を取り出して声を失う1ヶ月ほど前に、たまたま地元に帰ることがあり、父とご飯に行った。

父と母は離婚しているので、僕はいつも母とお茶をしてから父のところに行く。そのとき、母と高校を辞めたときの思い出話になった。

「あのときお母さん、退学届を書いた帰りの車の中で泣いてたよな」と僕が言った。すると母は「それはそうやで、自分の息子がこれから苦労するのに」みたいなことをサラッと言っていた。

その話をそのあと会った父に話したら「それはそうやで、あいつも学校辞めてるからな」と言った。僕は驚いた。そんなことは知らなかった。

父は「あいつは自分から言いたがらんやろ」と言った。母が「苦労するから」と泣いたのは、自分が苦労してきたということでもあったんだろう。

その話をあとで母にしたら、「え、あの人知ってたん？　聞いてこんかったから知らんもんだと思ってた」と言っていた。父は母が気にしていると思って言わなかったんだろう。どんなに大喧嘩をしても、本当に嫌がることは言わなかった。喧嘩する前に一番嫌なことを言おうとする僕とは大違いだ。

父とはそのとき、おばあちゃんのことや母のことなど、いろいろと話した。あまりいままで話したことがなかったことだ。知らないこともいろいろと聞いた。あの夜は、初めて喧嘩もなく楽しく過ごすことができた日だった。

そのあと、父はステージ3の喉の癌で声を失った。日本中の声なき声を届けるなんて、偉そうなことを本に書いているときに、親父が本当の声なき人になってしまったなんて神様もブラックジョークが過ぎる。しかしなんの偶然か、声を失う前に父からたくさんの声を聞けた。

僕は父の声があるときに、心が楽になる言葉を聞いた。

一度、一緒に飲んでいるときに「地元は原発のおかげで生活できているのに、テレビで原発のことばっかり言ってごめんな。小さな街やからおとんと仕事で繋がってる人たちもいるやろ」と言った。

あれは27歳のときだったか、僕が芸人としてなんの結果も出せず、もう諦めたほうがいいのかと思っていたとき、父から電話があって「原発の働き口を見つけたぞ。いまなら紹介できる。大輔どうする?」と言われた。

原発の中で働けるなんて、僕の地元では給料も高くて、最高の仕事だ。しかも中卒で働き口がなかなかない僕にはまたとないチャンス。父が知り合いにお願いして、頼んでくれたんだろう。でも僕は、それを断って芸人を続けた。地元にとって、原発はそんな存在だ。

だから僕は、原発を批判するようなネタばかりしているけど、地元で肩身が狭くなってないか?と聞いた。それに父は「お前が言ってることを思ってる人もおるから心配すんな」と言ってくれた。僕は楽になった。

母にも、この前会ったときに謝った。「ごめんな、テレビに出なくなって、申し訳ないね」と伝えた。

田舎で中卒は、まわりにもなかなかいない。僕の同級生たちもちゃんと高校を卒業して大学などに行っている。母は僕の同級生の母親たちとよくプールなどで一緒になると言っていたから、高校を辞めたときはさぞ肩身が狭かっただろう。だから、テレビに出て、まわりから「だいちゃんテレビに出てたよ、すごいね」と言われるのは本当にうれしいと言っていた。

一度、伊勢神宮に母と行ったとき、若者たちに勝手に写真を撮られた。母も勝手に撮られたので、文句を言ってやろうとイライラしていたら、母が「撮ってもらえるだけうれしいやん」と言ってくれた。

それだけ喜んでくれていたのに、僕はテレビから消えることを選んだ。ようやく自慢の息子になれたと思ったけど、何をしてでもテレビに出たいわけではなく、いろんな世界を知ってしまって、舞台で作品をつくって生きていきたいと思ったから。

母にそんな話をしたら、母は「わたしは、あんたにはめちゃくちゃ親孝行してもらったで。一緒にテレビにも出られたし、それで東京にも行けたし、普段会うことができない芸能人の人たちとも会えたし。いつか、わたしが死んであんたが死んで、また生まれ変わって、また親子になって、そしてわたしが死んであんたが死んで、また生まれ変わって、それを何回繰り返してもあまりあるぐらい親孝行してもらったから、もう大丈夫やで」と言ってくれて楽になった。

『最後だとわかっていたなら』という、アメリカ同時多発テロで大事な人を失った人たちの声を集めた詩集を見た。

「あれが最後なら、お母さんに、行ってきます、とちゃんと言いたかった」「あれが最後なら、あのときちゃんと謝りたかった」「あれが最後なら……」という最後の別れになってしまった人たちの心の悲痛な声だ。

僕はまもなくアメリカに行く。なぜ彼らは、多くのシリアスな問題を笑いにするのか。それを笑いにする理由をもっと直で感じて、考えて、僕は悲劇と笑いの延長線上を突き詰めたい。

だから、40歳の僕は頻繁に地元に戻り、父と母と話す。もう60歳を超えている両親とはもう会えなくなるかもしれない。あっちでガチンコでホームレスになるかも、撃たれて死ぬかも、親が病気で死ぬかもしれない。だから、これが最後なら、と思って親に会う。

この本はすべてスマホで書いた。そのときの感情で書いているから、おれとか、僕とか、自分の呼び方がバラバラで気になるかもしれない。でも、自分の言葉で見えたものをそのまま書きたくて本を書いた。

僕は、朽ち果てた船ばかりを探して絵を描く。しかしそれに囚われて、その奥のキラキラした海を見ていないことがある。しかしあなたはキラキラした海ばかりを見て、朽ち果てた船を見ていないように見える。彼らはあなたと目が合わないと感じている。

それが、いま僕があなたに伝えたいことだ。

村本大輔（むらもと・だいすけ）

1980年生まれ。福井県おおい町出身。2008年に中川パラダイスとお笑いコンビ「ウーマンラッシュアワー」を結成。2013年に漫才コンクール第43回NHK上方漫才コンテスト、THE MANZAIともに優勝。AbemaTV「ABEMA Prime」を通じてニュースに触れ、興味を持ち始めたことをきっかけに、原発や沖縄基地問題、朝鮮学校など政治・社会問題を取り上げた漫才をつくり、フジテレビ系「THE MANZAI 2017」で披露。劇場を主な活動の場にしており、積極的に全国で独演会を開催している。SNSでも積極的に発信。

おれは無関心なあなたを傷つけたい

2020年12月15日　第1刷発行
2022年9月14日　第3刷発行

著　者——村本 大輔
発行所——ダイヤモンド社
〒150-8409　東京都渋谷区神宮前6-12-17
https://www.diamond.co.jp/
電話／03･5778･7233（編集）　03･5778･7240（販売）

装丁————三森健太（JUNGLE）
本文DTP——梅里珠美（北路社）
製作進行——ダイヤモンド・グラフィック社
校正————鷗来堂
印刷・製本—三松堂
編集担当——畑下裕貴

ISBN 978-4-478-11144-4